25 南宋
西元1127～1276年 [注音本]

全新

吳姐姐講歷史故事

吳涵碧◎著

目錄

【第548篇】鐵木眞與札木合。

鐵木眞在王罕與札木合的幫助之下，搶回了愛妻，心裡十分痛快，他和札木合是少年玩伴，久別重逢，彼此有說不完的話。

札木合說：『還記得我們當年結爲安荅的情形嗎？』

『怎麼不記得呢？』

當時鐵木眞只有十一歲，札木合也差不多這個年紀，冬天裡冰天雪地，兩個青少年在結冰的幹難河上打髀骨。（髀骨是遊牧地區最普遍的玩具，髀骨有四面，均作凹凸不平狀，在冬季兒童或青少年多在冰上比賽投擲，或者踢牛髀骨爲遊戲。）

鐵木眞與札木合都是活潑壯健，臉上有光，目中有火的男孩子，玩得不亦樂乎，自然而然互稱安荅（結拜兄弟），並且互換髀骨爲信物。

爲了鄭重起見，到第二年春天，札木合用牛角鑽成一個箭頭送給鐵木眞，鐵木眞也用柏木做了一個精巧的箭頭回贈，兩人親親熱熱的互叫安荅。

回想這一段年少往事，兩人都覺得十分甜蜜，鐵木眞說：『以前老年人常說，凡是結爲安荅的，性命是一體，不得互相捨棄，要做性命的救護者，咱們彼此要親愛啊！』說著，鐵木眞把從蔑兒乞人擄掠而來的金腰帶解下來，親自爲札木合繫在腰上，並且牽來名貴的海騮馬，叫札木合騎上

去。

札木合也拿了一條金光閃閃的腰帶，爲鐵木眞繫上，又找了一匹漂亮的白馬，送給鐵木眞。

於是，在忽勒答兒山崖之前，鐵木眞與札木合繞著枝葉茂密的大樹，彼此稱爲安荅，發誓要互相友愛，並且大開慶祝宴會，又唱又跳，晚間並且共被而眠。

由於他二人形影不離，捨不得分開，札木合要率領蒙古部衆回去了，怎麼辦？鐵木眞乾脆舉家隨同札木合一塊兒走，從此以後，更是情投意合，完全是兄弟一般。

兩人義結金蘭，相親相愛過了一年半載。有一天在起營的途中，鐵木眞、札木合一同在車輛前邊兒走的時候，札木合說：『鐵木眞安荅，我們靠近山麓住下來吧，我們放馬的可以得到帳篷住啊，沿著澗邊住下吧，我們放羊，放羊羔的可以得到東西吃啊。』

這句話說得沒頭沒腦，鐵木眞不明白札木合的意思。另外，可能札木合講話時，臉色不太好看，總之，鐵木眞就整個人楞住了，他一言不發的停留下來，等著正在移動中落後的車輛，札木合則自顧自的往前走了。

此時，月倫和鐵木眞的妻子孛兒帖趕上了隊伍，發現鐵木眞呆呆的在出神，忙問他在想什麼，鐵木眞困惑的說：『方才，札木合安荅說，靠近山住下吧，我們放馬的可以得到帳篷住啊，沿著澗邊住下吧，我們放羊，放羊羔的可以得到東西吃啊，我不明白這話的意思，我也沒有回答他什麼，正想問問母親呢。』

月倫母親還沒有作聲，孛兒帖就說：『人家都講，札木合安答喜新厭舊，如今已到厭煩我們的時候了，方才他說的話，靠不住就是要圖謀我們，我們趁著夜裡趕快走吧！』一個人做客久了，總難免不是滋味，大概鐵木眞也有同感，所以斷然決定，當夜離開札木合的營區。

鐵木眞和札木合的分離，是蒙古帝國的起點，是蒙古歷史上一件大事。札木合這句奇怪的話，究竟原意何在，當時鐵木眞都搞不清楚，現在史家更難推測。

鐵木眞一行原是趁著黑夜溜走的，但是到了天亮一看，好奇怪，後頭跟來許許多多的人馬，這些人當中，屬於蒙古尼倫部，多兒勒斤部以外，還有一部分外族，這些人都是不滿意札木合的統治，情願追隨鐵木真創立基業的，在這批人之中，鐵木真得到好幾位特殊的將才。

另外，還有一個特殊的人物——豁兒赤，他是薩滿教（蒙古原始宗教）的巫師，他怎麼也跟來了，引起眾人的好奇。

巫師扯著嗓門說：『我們是聖賢擒獲的婦人所生的，我們與札木合是生於一個肚皮，一個胞衣的，我們本不應該與札木合分離的。但是，昨天神降臨到我的身上，使我親眼看到一頭慘白的乳牛，先是圍繞著札木合團團走，把他的房子車輛都撞毀了，然後去撞札木合，弄折了一隻犄角，還剩下一隻犄角，這隻牛發起火來，揭起塵土，突然開始說人話，要札木合把犄角拿回來。

『最奇怪的事還在後頭，一會兒，一頭無角的犍牛挽曳一大帳的椿木，循著鐵木眞走過的轍跡，發瘋似的，亂吼亂叫，牠也會說人話，叫嚷著「天地商議好了，要叫鐵木眞做國家之主。」因此，論親情，我不該離開札木合，只因爲親眼看見神明指示，不能不相信。』

巫師這番神話，衆人聽得目瞪口呆，對鐵木眞更加深信不疑了。在中國歷史上，歷代創業帝王都流傳有許多神蹟或奇貌，例如漢高祖雙耳垂肩，雙手過膝；宋太祖生下來時體有異香，赤光繞室，讓人們以爲是天降聖人，使得多數愚夫愚婦在神權的恐怖之下奉如神明。

鐵木眞的神話，也是差不多的宣傳，在古代民智未開，人們容易相信不足爲奇。奇怪的是到了今天，還有迷信的人誤以爲乩童瘋子是神靈附體，搶著去索取『明牌』，實在叫人想不通。

閱讀心得

【第549篇】

鐵木眞被擁立爲成吉思汗。

在上篇，我們講到了鐵木眞與札木合不合，憤而離開了札木合，結果，札木合許多部下紛紛跟著鐵木眞走。

其中有蒙古薩滿教的巫師，名叫豁兒赤，他說了一個神話，他看到一頭沒有角的牛，忽然開始講起人話吼叫著：『天地之意，教鐵木眞做國土主人。』因此『論親情，我不該離開札木合，但是因爲親眼看到神的指示，不能不來。』

巫師這番話，衆人們聽了又興奮又敬畏，大家一齊向鐵木眞行注目禮，愈看愈覺得鐵木眞長相非凡，本來就應該當衆人的領導，於是高聲歡呼著，跳躍著，鐵木眞也是顧盼自雄，得意極了。

事後，巫師向鐵木眞邀功道：『鐵木眞，你如果有朝一日，眞的做了國家之主，你要使我怎樣的享福呢？』

『我叫你做萬户的長官。』

巫師撇撇嘴道：『萬户的長官，算什麼享樂？還不如讓我自由在全國挑選三十個美女，還比較動聽。』

鐵木眞滿口應允，後來，在平定禿馬惕人以後，由於巫師自由的選美，曾經惹起當地嚴重的民變。

遊牧民族比起農業民族，更具有強烈的英雄崇拜，鐵木眞，顯然就是蒙古草原新崛起的英雄。

蒙古人特別喜歡口述祖先英勇事蹟，陶鑄兒童成爲一名戰鬥員；一個原先沒有文字的民族，竟然能夠憑著世世代代口耳相傳，使得後代子孫牢牢記住二十幾代的家譜，可見他們多麼重視這一種教育方式。

海都、合不勒可汗、也速該等都是蒙古人耳熟能詳的英雄，此時鐵木眞的聲望不僅達到他父親也速該的標準，甚且過之而無不及，他善於用人，善於處事，公正而合理，比起那些貪婪又自私的各部酋長，他無疑是一個英明傑出的領袖，所以不但舊時蒙古部落聯盟的諸部，都聚集在他的麾下，甚且原本不屬於蒙古部落聯盟的其他部落，也傾心鐵木眞，願意在麾下效命。

於是，鐵木眞的幾個至親，共同推舉鐵木眞爲汗，鐵木眞先是客氣的讓給叔叔，叔叔不依，又讓給兒輩察兒別乞，他也不敢當，最後，鐵木眞俯順輿情，當仁不讓的即汗位，號成吉思，這一年，鐵木眞不過三十五歲，他的部下並且共同發誓：

『鐵木眞你做了可汗之後，
衆敵當前，
我們願意做先鋒衝上前去，
把外邦美麗的貴婦，
臀部光整的良駒駿馬，獻來給你。

如果違背了你的號令，
叫我們與妻兒家屬分離，
把我們的頭顱拋在地上！』

鐵木眞就位蒙古可汗以後，遣使分別通知王罕與札木合，札木合聽到消息，氣得坐都坐不住，他認爲鐵木眞是靠著大家一塊兒征討蔑兒乞成名，戰後又分化了他的部眾，把所屬的也速該舊部帶走，現在居然竊取蒙古共主的名號，這一口氣無論如何也嚥不下去。

西元一一九〇年，札木合出兵攻打成吉思汗，他率領三萬人，分十三翼前進，會戰的結果，鐵木眞被打敗，退守斡難河。札木合爲了報仇，大肆燒殺所有曾經協助成吉思汗的部眾，引起草原人民普遍的痛恨，紛紛投靠成吉思汗，因此，成吉思汗在戰敗以後反而勢力大增。

一二〇一年，札木合又再次出兵攻打成吉思汗，成吉思汗在這一場戰役之中，頸項上脈管受了重傷，不斷的淌出鮮血，者勒蔑焦急的不停的用嘴嚅吮瘀塞的血，他整張嘴都染滿了血，卻堅持不肯讓別人代勞。

就這樣一直到了半夜，成吉思汗幽幽的醒了，他低聲呻吟著：『血都乾了，我好渴啊！』

者勒蔑立刻脫了帽子、靴子、衣服，只剩下一條褲子，冒著刺骨的寒風，跑到對面的敵營裡，想要偷一點兒馬奶。找了半天，找不到馬奶，卻發現一桶酪，歡天喜地的抱回來，所謂酪，是由牛奶略微發酵，做成半流質的食品，可以用水調稀食之，有點像歐美人食用的『起司』。

者勒蔑搬來了一桶酪，又忙著找水，把酪調好，餵成吉思汗喝下，酪是相當營養的補品，成吉思汗喝了三天，也足足休息了三天，再加上他本來身強力壯，逐漸恢復了體力。

成吉思汗驚訝的發現，他所躺的地方，已經被者勒蔑嚅吮出來的鮮血，弄成一片泥濘。

成吉思汗看了就說：『你爲什麼不吐得遠一些？』

者勒蔑說：『當時，你情況危急，忙得我又嚥又吐，又不敢走遠，怕你難過。』

『我躺在這兒時，你又爲什麼赤身跑到敵營裡去，萬一被捉住，你不會出賣我吧？』

『我是故意脫了衣服去的，萬一被發現，我就說本來是前來投降的，因爲被成吉思汗手下捉住，把衣服剝光，剝到還剩褲子時，我突然逃脫。這樣，他們一定會相信，給我衣服，收容我，給我馬，那我還不會找機會溜回來照顧你嗎？』

成吉思汗聽了，感動得不能說話，也暗暗佩服者勒蔑的機智。

閱讀心得

【第550篇】

王罕父子。

鐵木眞被擁爲成吉思汗以後，不但札木合不高興，後來與義父王罕也失和。

王罕與鐵木眞的父親也速該曾經結爲安荅，相得甚歡，成吉思汗爲了重續這段舊誼，把妻子拜見翁姑的禮物——一件名貴的黑貂皮襖呈獻給王罕。

有一回，王罕部衆遭到乃蠻的洗掠，王罕差使向成吉思汗求援道：『我的百姓妻兒都被乃蠻俘虜了，請差你的四傑來救我吧！』

原來成吉思汗麾下有木合黎等四位大將，遠近馳名，號四傑，他們另有一個名稱叫四駿。

四傑趕到之時，王罕的兒子桑昆正在千鈞一髮，他騎的馬大腿被射中，幾乎被擒，四傑一番廝殺以後，全勝而歸。

王罕十分歡喜道：『先前，成吉思汗的賢父，我的安荅也速該勇士曾經幫助我，搭救我失散的百姓。如今鐵木眞兒子又把我失散的百姓給搭救了，倘若有一天我老了，要登高山，成爲過去，由誰來管理全國的百姓？』

所謂『要登高山，成爲過去』，意思是說，有一天他死了，要把屍骨安葬在山崖之上，當時蒙古貴族們有這個習俗。

王罕又接著說：『我的弟弟們沒有品德，我僅有的獨子桑昆，有和沒有一樣，不如讓鐵木眞當桑昆的哥哥，我有兩個兒子，也就安心啦！』

於是，成吉思汗與王罕在土兀剌河邊的黑林裡聚會，他們親親熱熱的互稱爲父子，異口同聲起誓：『征伐衆多的敵人，要一同出征，圍獵狡猾的野獸，要一同圍獵。』兩人並且說定：

『我們兩個人受人嫉妒，
若是被有牙的蛇所挑唆；
不要受他挑唆；
要用牙用嘴互相說明，
要用口用舌互相對證，

彼此信賴。』

但是一會兒，挑唆的蛇就出現了，他不是別人，正是王罕的兒子桑昆。成吉思汗為了增進兩家情誼，希望能夠讓自己的長子朮赤娶王罕的女兒，而讓自己的長女嫁給桑昆的兒子。

但是桑昆卻堅決反對這兩門婚事，他狂妄的說：『我們的親人若是到他們那裡去，就要站在門後，專心的正坐著，他們的親人若是到我們這裡來，就要坐在正面向著門後看。』

這句話的意思很費解，根據札奇斯欽教授的看法是：蒙古包的構造，門是向東南開的，室內北面正中與門相對的地方，是主人的座位，離門不遠的左邊，是年輩較低，身分較低者謁見親長的地方，桑昆這句話就是說，我們的人到他家裡，要當成晚輩或是僕輩，他們的人到我家來，就要升做主人了。

另外有位學者屠寄的看法是，成吉思汗夫人孛兒帖，曾經遭蔑兒乞人擄走，後來被成吉思汗救回來之時，半途生下長子朮赤，許多人懷疑朮赤不是成吉思汗的兒子，成吉思汗似乎也有此疑惑，因爲蒙古語中朮赤意思爲『客人』，天下哪有父親管兒子叫客人的道理？

桑昆可能是基於這個原因，認爲朮赤是客人，日後不能繼承汗位，所以反對把妹妹嫁給朮赤。

無論桑昆究竟心裡是怎麼想的，反正他一口回絕成吉思汗的婚事，讓成吉思汗下不了台，頗爲寒心。成吉思汗的叔叔阿勒壇等三人看出雙方有隙，就在此時，改向王罕父子靠攏。

阿勒壇是由於前一回討伐塔塔兒戰役時，違反軍令，曾經被成吉思汗狠狠處罰，心懷怨恨，所以出此下策。

成吉思汗能夠建立蒙古帝國，原因之一是他軍令如山，在討伐塔塔兒人之前，成吉思汗鄭重下令：『戰勝敵人，不得貪戀戰利品，所有戰利品大家均分。假如同伴被敵人追趕，就要合力救援。』

結果，一開仗，成吉思汗部隊勢如破竹，成吉思汗大爲興奮，總算報了殺父之仇。（成吉思汗的父親也速該就是在塔塔兒人宴客時，他進去吃了點東西，被下了毒，一命嗚呼。）

由於塔塔兒人十分富有，蒙古人很窮，從來沒有看過銀製搖車、鑲有珍珠的錦緞被子等寶貝，成吉思汗的叔叔阿勒壇等人看傻了眼，戀戀不忍離去，又情不自禁看到好東西就伸手搶，眼中閃爍著貪婪的光芒。

成吉思汗發現阿勒壇等竟然不打仗，人就逗留在戰利品那裡，十分憤怒，把他們搶來的擄掠品完全沒收，並且重重的處罰。

阿勒壇惱羞成怒，又恨成吉思汗這個姪兒半點情面也不顧，老早就不滿了，聽說成吉思汗與王罕父子的感情有了裂痕，立刻迫不及待的投向桑昆，希望藉著王罕父子的力量，達到報仇的目的。

閱讀心得

【第551篇】桑昆的詭計。

在上一篇中，我們說到，在討伐塔塔兒人的時候，成吉思汗的叔父阿勒壇等人違反軍令，擅自掠奪財物，成吉思汗予以重罰，阿勒壇懷恨在心，一怒之下，投奔王罕、桑昆父子。

札木合也在旁邊進讒言道：『我的安荅鐵木眞與乃蠻塔陽汗暗中訂有約定，彼此也互換使臣，他雖然口裡叫著父子，心中卻別有打算，你們還信他呢？不如先下手爲強，若是攻打鐵木眞安荅，我也一同加入。』

阿勒壇也興致勃勃的幫腔：『我們幾個也幫忙，用手捉住他們的手，用腿去絆倒他們的腿。』

桑昆一向討厭成吉思汗，王罕愈是誇獎成吉思汗，他心裡愈不暢快，因此他慫恿道：『你們說的都有道理，可惜我父親王罕還不知情，你們為什麼不去讓他知道？』

豈料王罕聽了以後，反而教訓札木合等人道：『你們為什麼要把我親愛的兒子鐵木真說得如此不堪？如今我們還要拿他做倚仗呢，現在假如對我兒懷著如此險惡的用心，老天必然不會庇佑我們的，札木合你這個人最大的毛病，就是沒有準的話兒，到處亂說。』

桑昆聽說了王罕的反應，十分不悅，認為父親老是偏袒成吉思汗，於

是，又派人來進讒言：『有口有舌的人都這麼說，你為什麼不相信？』如此反覆再三，桑昆輪流派人去說服王罕，總是不得要領。最後，桑昆緊繃著一張綠臉，氣沖沖的威脅王罕：『好啊，你現在這般看不起我這個兒子，如果萬一有一天，你被白的嗆著，黑的噎著，你的這些百姓由誰來管理？你把我這個親生兒子棄之不顧，卻去相信鐵木眞，是應該的嗎？』說完，桑昆掉頭就走，不理會王罕的叫喊。

所謂『被白的嗆著，黑的噎著』這句話的意思是說，父親年紀大了，白色的馬奶喝下去會嗆到，黑的肉類嚥下去會噎到。

王罕畢竟仍然疼著桑昆，趕緊派人把他找回來，對他說：『哎，隨你們的便吧！』

於是，桑昆閃爍著狡猾的目光，笑嘻嘻的說：『成吉思汗不是想要我妹妹嫁給朮赤嗎？我們不如就答應他，然後在許婚的筵席，不兀勒札兒大宴上，活捉鐵木眞。』

不兀勒札兒大宴，意思是羊的頸喉宴，羊的頸喉的筋肉，堅韌，耐嚼，表示堅毅不二，永久不離開，用以象徵夫婦百年好合，這句話一直流行到今天，蒙古青年男女自結婚日起，要一連吃三天羊頸喉肉，象徵恩愛幸福。

成吉思汗接到消息，以爲王罕父子改變主意，願意親上加親，歡天喜地帶著十多個人前來，由於路途遙遠，借宿在蒙力克老爹的家裡。

蒙力克老爹見成吉思汗滿面紅光，喜孜孜的模樣，忍不住澆他一盆冷水：『以前你向王罕求婚，希望朮赤能娶他的女兒，他們曾經卑視我們，不肯許給，現在爲什麼反而邀請我們去吃許婚的筵席？妄自尊大的人爲什麼願意回頭？說不定其中有詐，不如以春天到了，我們的馬瘦，必須要養養馬，推掉這個宴會。』

成吉思汗一聽，忙著向蒙力克老爹道謝，畢竟是他年紀大，經驗豐富，深謀遠慮。於是他派不合臺、乞剌臺兩個人爲代表，自己就不去了。

這一邊兒，桑昆等人正準備要捉拿成吉思汗，盼了半天，只等到兩個代表。桑昆等人就一起說：『我們的計策被發覺了，事不宜遲，明天一早就去捉拿他吧！』

筵席散了以後，桑昆手下之一也客回到家裡，對他太太阿剌黑赤惕說：『大家商量好，明天一大早，要去捉拿鐵木眞，若是有人把這個話告訴了鐵木真，不曉得會怎麼樣呢？』

他妻子阿剌黑赤惕連忙阻止道：『你這個人怎麼胡言亂語，當心會有人把它當成真的！』

正在說這句話時，也客家放馬的僕人巴歹剛好進來，送來一罐馬奶，又匆匆告退。

巴歹回去，對他的夥伴乞失里黑說：『你猜，我剛才聽到什麼？桑昆他們明天要去捉拿成吉思汗。』

『真的？』乞失里黑說，『我也去聽聽看，這可不是鬧著玩的小事。』

乞失里黑走到也客帳篷外邊，聽到也客一面磨箭，一面埋怨他太太說：『方才我們在說些什麼？萬一被僕人聽到怎麼辦？莫非要把舌頭去掉？否則擋得住誰的嘴？』

也客看到乞失里黑進來，對他吩咐道：『把那隻白馬和白嘴的棗騮馬準備好，我們明日早早要騎。』

乞失里黑更加確定，明日一早果然有所行動，他飛奔回去告訴巴歹：『你剛才說的話沒錯，現在我們兩個去告訴鐵木眞吧！』

巴歹與乞失里黑當晚在帳篷裡，殺了一隻羊羔，用凳子燒了火煮熟，打了一頓豐盛的牙祭，分別騎了原先主人一早要用的白馬與白嘴馬，直奔成吉思汗營帳。

巴歹懇切的稟報：『如果蒙成吉思汗信任，就請不要疑惑，他們已經決議包圍捉拿你了。』

成吉思汗吃驚不小，但是馬上鎮定的下令：『減輕馱載，拋掉一切，趕快躲避，即刻動身。』

在千鈞一髮的當頭，成吉思汗表現了處變不驚、慎謀能斷，他果斷的指揮撤退。

閱讀心得

【第552篇】倒帽山戰役。

成吉思汗得到密報，說是王罕父子要活捉他，當晚，他下命令給跟隨的親從們，減輕馱載，拋掉一切，連夜快馬加鞭，沿著卯溫都山向後移動。第二天中午，太陽偏西，衆人正在午睡時，忽然看到一陣陣的塵土飛揚，大呼一聲：『敵人來了！』於是展開一場昏天黑地的惡戰。

卯溫都山原爲成吉思汗的避暑勝地，所以稱之爲汗山。在這場戰役之中，成吉思汗被打得七零八落，他第三個兒子窩闊臺及四傑中的二傑都曾散失，大將忽亦勒荅兒也受了傷，由於差一點兒全軍覆沒，所以卯溫都山又稱之爲『倒楣山』。

幸而，桑昆的臉腮也被飛箭擊中，墜落馬下，這一場驚天動地的戰役稍歇。

王罕看到兒子中箭，又心疼又生氣的埋怨：『招惹那不當招惹的，格鬥那不當格鬥的，使我愛兒的臉上釘了釘子，我要爲我兒索命！』說罷，便不顧一切往前衝。

王罕的妻子在一旁苦苦相勸：『可汗，可汗，不要如此，記得嗎？以前求子的時候，我們曾經在柳條上拴了小布條（這是蒙古薩滿教的禮儀），又聽了巫師的話，口中不斷的阿備阿備的喊著；現在當然要愛護這已經生

了的兒子桑昆呀！

『況且，蒙古人，大部分和札木合、阿勒壇、忽察兒在一起，是屬於我們的，與鐵木眞在一起反抗的蒙古人，能到哪兒去？他們既無駿馬可騎，又無廬舍可住，他們如果不來，我們就像用衣服下襬兜乾馬糞一般把他們捉來吧！』

乾馬糞是蒙古草原的燃料之一，蒙人撿拾乾馬糞時，多半用衣服的下襬兜起來拿走。因此，這句話的意思，正如成語『探囊取物』，是易如反掌之意。

王罕聽了妻子的勸告，長長嘆了口氣道：『好，那麼就小心，不要叫兒子難受，好好照顧他吧！』說完，就從廝殺的地方退回去了。

第二天清晨，成吉思汗清點兵馬，發現僅剩下二千六百人，於是向東北撤兵，一直撤到巴勒緒納海子才休息。當時巴勒緒納河水乾涸，只剩下泥漿可飲。成吉思汗見到部衆在患難中相隨不捨，內心深為感動。於是他喝了一口泥巴水道：『將來有福同享，如果我失信，讓我像河水一般乾涸。』

接著，成吉思汗把杯子拿給隨從的人，隨從的親信也輪流喝泥巴水誓死效忠。當時同飲此水者共有十九人，現在還有十四人的姓名可以查考。

成吉思汗為了緩和兵勢，爭取主動與充實內部，派了兩名使者，向王罕送話道：

『我親愛的汗父啊，
為什麼嗔怒，

恐嚇我啊？
莫非你受了別人的刺激？
你忘記我們曾經一塊起誓，
若是被有牙的蛇挑唆，
不要受牠挑唆，
要用牙齒和嘴對證。』

接著，成吉思汗又舉了幾個舊日相處的例子，證明自己的的確確對得起王罕。

『自您汗父後，因爲你是四十個兒子的長兄，你繼任汗位，殺了你兩個弟弟，你叔父出兵前來征伐，幸虧我父親也速該救了你，你因此與我父親結爲安荅，你還曾經說過：把也速該的恩典報答給他的子子孫孫吧，這是我對得起你的地方之一。

『當你背叛了古兒汗，窮困得擠乾了五隻山羊的奶吃，刺出了駱駝的血喝，只剩下一匹可憐的瞎眼黑鬃黑尾的黃馬，我念著父親與你的交情，把擄掠蔑兒乞人得到的馬匹、穹帳、糧食都給了你，不到三個月，把你養得白白胖胖，這是我對得起你的地方之二。

『我像一隻山鷹，飛越捕魚兒海子，爲你去捉灰羽青足的鶴，這是我對得起你的地方之三。

『再說，當你的百姓被乃蠻擄去，你的兒子桑昆作戰時，他所騎的馬後腿被射中，幾乎束手就擒，我的四傑趕到，千鈞一髮之際，救了桑昆，這是我對得起你的地方之四。

『我對待你像父親一樣，從來沒有因爲自己得的少而抱怨，也從未因爲享受不好而要求改善，一部車子有兩個輪子，如果一個輪子折斷，車子就不能夠再移動。』

王罕聽了這些話，心裡十分慚愧，他垂著頭說：『唉，我違背了與我兒不可違背的道理，如果，我看見我兒再生惡念，就和我這血一般，被他人刺出。』

說著，王罕就用剜箭扣的刀子，刺破他的小手指，讓鮮血流出，盛裝在一個小樺木皮桶裡說：『交給我兒子！』

成吉思汗又說：『去對桑昆安荅說，穿著衣服生的兒子是我（指義子），赤裸著身子出生的兒子是你（指親生兒子），我們的汗父曾同樣的看待我們，你莫非是想在汗父還在的時候，就做可汗嗎？』

王罕聽完成吉思汗傳來的話，內心頗爲慚愧，埋怨兒子桑昆貽誤大事，然而桑昆毫無悔意，不惜決裂到底。

閱讀心得

【第553篇】

乃蠻塔陽汗。

上一篇我們說到，王罕受了兒子桑昆的挑撥，對成吉思汗用兵，成吉思汗爲了緩和兵勢，爭取主動與覓取充實內部的機會，遣使請問被突襲的原因，並且舉出一件件的往事，說明曾經再三有德於王罕。王罕聽了，十分慚愧，用刀刺破小指，讓鮮血滴在桶內，交使者帶回，表示懺悔。

成吉思汗利用王罕疏於防範之際，隨時準備反攻，因爲他知道王罕是一時良心發現，等到桑昆再進幾句讒言，王罕又會急著開戰。

機會來了，有一天成吉思汗兩個手下急著飛報：『王罕現在正立起金撤帳，舉行宴會，是我們圍攻的時候到了。』

所謂『立起金撤帳』的意思是說，立起以細毛布做成的金碧輝煌的鉅帳，是蒙古貴族舉行盛大宴會使用的。

成吉思汗立刻揮兵，包圍著王罕部衆，廝殺了三天三夜，到了第三天，他們不能抵抗，只好投降了。但是王罕、桑昆父子卻趁著夜間溜走了。

這次王罕方面的主將是合荅黑勇士，戰敗之後，合荅黑跑來對成吉思汗說：『依著蒙古慣例，凡是抵抗者死。但是我實在不忍心自己的主人被抓去殺掉，爲了讓他逃脫，保全性命，我就爲他製造一個逃脫重圍的機會。現在，我也沒有別的話可說，命該死便死，如果能被成吉思汗赦免，我願

爲你效力。』

成吉思汗是個愛才的人，他看合荅黑勇士『臉上有光，目中有火』一副準備慷慨就義的神氣，心中十分歡喜。於是，降下聖旨道：『不忍捨棄正主的人，爲的是保全主人，這豈不正是男子漢大丈夫，倒是一個可以作伴的夥伴。』

王罕、桑昆兩人狼狽逃出重圍，王罕口渴極了，悄悄走入乃蠻的地方，正要喝水，被乃蠻的守衛一把抓住，王罕急著說：『我是王罕。』可是守衛不認識他，也不相信他，只把他看做一個濫闖陣地的陌生人，當場就殺了王罕。

桑昆則跑到荒野中尋水，他命令馬僮闊闊出去找一找水源，闊闊出竟然準備丟下桑昆，帶著妻子遠走高飛。

闊闊出的妻子倒是一個有情有義的人，她對闊闊出說：『當你穿著金花兒衣裳，吃著美味食物的時候，桑昆不是對你極好，常常開口閉口我的闊闊出嗎？現在你怎麼可以把你的桑昆撇棄呢？』說著，闊闊出的妻子便杵在那兒，動也不肯動。

闊闊出被妻子的搶白，弄得臉上有些掛不住，尖刻的諷刺道：『你是不是想拿桑昆當丈夫？』

『呸！』闊闊出的妻子道：『你不是常說，我的女人的臉眞醜，和狗臉皮差不多？你至少該把舀水的金盂還給桑昆，讓他能夠喝水。』

『這倒可以。』於是，闊闊出把金盂還給桑昆，帶著妻子，跑去見成吉思汗，把經過一五一十報告清楚，闊闊出原以爲成吉思汗會賞賜一大筆財寶，不料成吉思汗發脾氣道：『你這樣的人，如今要給人作伴，誰敢相信？』因此下令，把闊闊出殺了，倒是大大的獎賞了闊闊出的妻子。

乃蠻人殺了王罕，被乃蠻塔陽汗的母親古兒別速知道了，她說：『王罕是先前的長老，偉大的可汗，把他的頭拿來看看，如果眞的是他，咱們應該祭奠一番。』

王罕的頭，被割下來，放在雪白的大氈下，塔陽汗叫媳婦們先行禮、斟酒、拉琴（蒙古特殊的樂器叫馬頭琴）、獻爵，正在此時，王罕的嘴角上揚，竟然笑了起來，死人頭會笑，眞是不可思議。

乃蠻的塔陽汗好生氣，認爲這個死王罕不懷好意，氣得大步踏前，把王罕的頭扔在地上，踩個粉碎。（這段記載，出自蒙古秘史第一八九節，死人頭會笑，確實奇怪，也許是塔陽汗看走眼了。）

塔陽汗很看不起蒙古人，他狂妄的說：『蒙古人，也夢想要當皇帝嗎？天上只有一日、一月，地上如何有兩個主人，咱們去奪他們的弓箭。』

塔陽汗的母親也看不起蒙古人，她輕蔑的說：『幹什麼呀，那些蒙古人臭臭的，氣味不好的，衣服破爛的，快別理他們，叫他們離開得遠遠的，但是不妨把清清秀秀的女兒們帶來，教她們洗手洗腳，然後來擠咱們的牛奶、羊奶吧！』

塔陽汗接著說：『不論怎樣，反正我們乃蠻人就去蒙古人那兒，把他們的箭筒擄來吧！』

乃蠻人準備進攻的消息，傳到了蒙古人的耳朵之中，有些人說：『我們的馬瘦瘦弱弱，現在怎麼辦？』

成吉思汗的弟弟別勒古臺憤怒的回答：『怎能拿馬匹瘦弱來推辭，一個人活著的時候，就讓人家把自己的箭筒奪去，活著又有什麼用！生為男子，死也要跟自己的箭筒、弓與骨頭躺在一起。乃蠻人因為國家大、百姓多，就說大話，我們去進攻吧！』

『當心他們大量的馬群不會站在那裡，
等我們去掠取；
當心他們把穹帳馱走不會留在那裡，
等我們去佔有，

我們勇敢的進攻吧！』

蒙古與乃蠻的大戰即將展開。

閱讀心得

【第554篇】蒙古與乃蠻大戰。

成吉思汗準備與乃蠻的塔陽汗大幹一場，他首先檢閱兵馬，須定軍制，立千戶，設千夫長，立百戶，設百夫長，又立牌子頭，設十夫長。

原來蒙古是一個訓練有素的軍事國家，全國皆兵。所謂『十人爲一牌』，這一牌便是最低層的軍事單位，屬於這十名士兵的家庭，就是供給這十名士兵的後勤單位。

此外，成吉思汗又下令『選拔一千名勇士，廝殺的日子，站在我面前厮殺，平常的日子做我的散班護衛。』

『護衛』的蒙古語讀爲『怯薛』，原意是恩寵，表示『天子的寵兒』，成吉思汗又挑了八十名宿衛，七十名散班輪流值班，然後日班與夜班『在我們喝湯的時候交接』。

於是，雙方大戰即將展開。

乃蠻的哨兵捉到一匹蒙古馬，馬背上戴著破破的鞍子，哨兵失聲笑了起來：『原來蒙古的馬這麼瘦。』

蒙古人也曉得蒙古馬瘦的缺點，朵歹對成吉思汗說：『我們人少，長途跋涉，又累壞了，不如先停下來，讓我們的馬匹吃飽，每一個人都點起五把火。聽說，乃蠻雖然人多，他們的首領塔陽汗卻是個沒有出過門的弱

者，他看到火光點點，到處都是，一定會害怕。』

成吉思汗完全贊成這個心理戰，於是下令部隊散開，佈滿整個撒阿里曠野，每個人都點了五把火炬。

乃蠻哨兵看了，趕緊飛報塔陽汗：『不是說蒙古人少嗎？怎麼過一個白天，他們的營火就比天上的星星還要多！』

塔陽汗急得慌，他兒子屈出律倒是不怕，他分析道：『蒙古人雖然戰馬消瘦，聽說，他們的營火多如繁星，那麼，蒙古人必然是很多的了，現在如果我們交兵，必敗無疑，蒙古人打起仗來，勇猛無比，殺得目不轉睛，刺得臉上不斷流出黑血也不停，可怕極了。不如，我們退過阿勒臺山，將我們的軍隊整頓好，再像逗狗一樣，把蒙古人一直逗到阿勒臺山之前，那時候，蒙古人的瘦馬早已疲乏，我們馬匹肥壯，胖得正吊起肚子來，我們就可以迎頭痛擊了。』

屈出律並且嘲笑他父親：『怎麼倒像一個婦人般害怕起來？』

塔陽汗手下的大將，豁里速別赤也說：『你父親從來沒有把男子的背脊、戰馬的後胯給敵人看過，如果早知道他這般膽小，你母親吉兒別速雖然是個婦人，倒是勇氣十足，還不如叫她來治軍。』

塔陽汗被兒子、部下這麼損，十分惱怒，他動了肝火道：『怕什麼，該死的性命，受苦的身子，反正都是一樣，那麼，就廝殺吧！』

成吉思汗一向身先士卒，他自己做先鋒，命合撒兒統領中軍。當時，札木合正與乃蠻一同起兵，也一同來到那裡，塔陽汗就問札木合說：『他們這些蒙古人怎麼像是狼追羊群，一直追到人家附近一般的追趕前來呢？』

這句話的意思是，平常很少有狼會到人家附近來襲殺羊群的現象，只有在風雪之夜，才有如此可怕的事會發生。因此，塔陽汗的話，是對狼的大膽與兇猛，十二萬分的驚畏，也就是恐懼蒙古兵。

偏偏札木合又接著嚇唬他：『我安荅鐵木眞用人肉餵養了四條狗，他們分別是者別、忽必來、者勒蔑與速別額臺，這四個人啊——

額似青銅，
嘴如鑿子，
舌像錐子，
有鐵一般的心腸，

他們在廝殺的日子，
吃的是人肉，
他們在平常，
拿人肉當行糧。』

塔陽汗聽了直冒冷汗道：『算了，我們離那些下等人遠一點兒吧。』

於是就往後退。

不久，塔陽汗又發現有一群蒙古人，自後邊跳躍著，竄繞著想衝上來，塔陽汗又問札木合：『他們怎麼像是飢餓的小馬，急著要吮母奶，在他們母親身邊周圍奔跑跳躍，竄繞向前。』

札木合說：『這些蒙古人專門追趕有長槍的好漢，把他們帶血掠奪，又專門追殺帶有環刀的男子，把他們砍殺搶劫，你瞧，這不正是歡騰跳躍的要追殺上來嗎？』

塔陽汗看看自己，身上又是長槍又是環刀，正是他們意圖宰割的對象，心下一驚，又扯著札木合道：『算了，既然如此，我們就離開那些下等人遠一點兒吧！』說著，又往後退了幾步。

一會兒，塔陽汗眼珠又瞪得大大的，著急的問：『在他們後邊，衝上前來的，那個如貪食的餓鷹一般垂著口水，張開尖嘴，急急撲上來的是誰？』

札木合回答：『那個前來的，就是我的鐵木真安荅——

他全身是用生銅製成的，

就是用錐子去扎，

也找不出空隙，
他全身用精鐵鍛成的，
就是用大針去刺，
也找不出空隙。』
塔陽汗一聽，心裡撲通撲通的跳著。

閱讀心得

【第555篇】札木合自願求死。

在上一篇，我們說到，蒙古人與乃蠻人展開大戰，乃蠻的首領塔陽汗喜歡說大話，其實卻是個膽小的懦夫，一輩子沒有上過戰場，因爲被兒子與部下嘲笑，一時衝動，督軍前進。

塔陽汗看到蒙古軍的陣容，已經心生膽怯，再被札木合加油添醬一激，把蒙古軍隊形容得如魔鬼兵團一般，便想退據山頂，但是，蒙古軍已經殺氣騰騰衝了上來。

札木合恐嚇著塔陽汗說：『你看成吉思汗像餓鷹一般，流著口水奔來了嗎？這是因爲，你曾經誇下海口，乃蠻的戰士如果看見蒙古人，連山羊的蹄皮也不許剩下，你看著吧！』

塔陽汗拍拍胸口道：『哇，好可怕，不如在山上立住陣脚吧。』他又問道：『那個從後邊過來，氣勢雄厚的人是誰？』

札木合說：『鐵木眞的母親月倫，曾經用人肉把她的一個兒子養大。

身長足有三度，(伸長雙手，從左手尖端到右手尖端爲一度)

能吃三歲小牛，

身穿三層鎧甲，

能拽三隻犍牛，

把帶弓箭的人整個嚇下。

他就是鐵木眞的次弟，拙赤，合撒兒。』

塔陽汗不由分說，拉著札木合便往後退。由於塔陽汗心理上已經輸了，因此，兩軍交鋒，乃蠻大敗，他們逃跑的時候，從納忽山墜下，互相亂跌在一起，摔得骨骼、毛髮都碎了，如同爛木一般，彼此壓踏而死。

第二天，蒙古軍擒獲了窮途末路的塔陽汗，成吉思汗並且派人把塔陽汗的母親古兒別速帶來，輕蔑的對她說：『你不是說過，蒙古人有臭味兒嗎？你怎麼也來了？』並且把她納爲妃子。

古兒別速一向看不起蒙古人，她曾經說過：『那些蒙古人氣味不好，衣服破爛的，叫他們離遠一點兒，但是不妨把他們清秀的媳婦、女兒們帶來，教她們洗了手腳，幫忙咱們擠牛奶、羊奶。』

在征服乃蠻的時候，札木合與乃蠻人是在一起的，因此，乃蠻大敗，札木合的百姓也被俘虜，他身邊只剩下了五個夥伴，逃到唐努山上，飢寒交迫，相當狼狽。

五個夥伴餓得發慌，偷了一隻羯羊，生起火來燒著吃，羯羊又稱爲大青羊，顏色青黑，是一種有大盤角的野山羊，毛長絨厚，又輕又暖，爲防寒上品。

札木合看了很不高興，怒聲責問：『是誰把羯羊殺了這樣吃法？』

這五個人一氣之下，抹抹油嘴，合起來動手把札木合捉住，送到成吉思汗那兒去。

札木合十分羞愧的找成吉思汗的手下傳話：『烏鴉竟捉住了黑鴨子，下民奴隸竟然敢向他們的可汗動手，我的可汗安荅，你怎麼講呢？』

這句話有解釋的必要，黑鴨子是較大的鴨子，類似黑天鵝，非烏鴉所能捕拿，烏鴉應該只能吃殘皮剩雀的，不配吃天鵝與仙鶴的，所以部下不能夠背叛主人。

成吉思汗也認爲奴婢家丁陷害主人，這是大逆不道的事情，因此，雖然五個夥伴自認爲是大功一件，成吉思汗卻降下聖旨：『怎能讓向自己正主動手的人生存？那樣的人能跟誰作伴？向正主下手的人，連同他們的親族，一律斬首。』於是，當著札木合的面，把五個夥伴一塊兒殺了。

當然，成吉思汗是存心做給札木合看的，他靠近札木合說：『現在我們兩個人又相合了，可以互相作伴，我們兩個曾經親密得如一輛車的兩根車轅，後來，你卻另有打算而分離了，讓我們再住在一起，互相提醒彼此所忘記的，互相喚醒那瞌睡的吧。』

成吉思汗又換了一種更親切的語調說：『就算你曾經離我而去，你依然是我吉慶有福氣的安荅，雖然分裂了，你仍舊用言語使乃蠻心驚膽戰，這等於用口殺了他們，這也是你對我的恩惠。』

札木合三番兩次的恐嚇塔陽汗，的確等於爲成吉思汗打了一場心理戰，但是札木合想起種種前塵往事，頭垂得好低好低。札木合訥訥的說：『早在小時候，當我們一起吃不可消化的食物，一起說不可忘記的語言，一起蓋一床被子的時候，因爲受了旁人的挑唆，受了奸人刺激，以致說了剛硬的話，互相分手，除非剝掉我的黑臉皮，否則，我沒有臉再見安荅。』

成吉思汗還是希望破鏡重圓，札木合卻不能接受他的好意，札木合長吁一口氣道：『我在應當作伴的時候，未曾作伴，現在安荅，你已經把整個國家平定了，我來作伴，還有什麼益處？只會在黑夜入你的夢，白日擾你的心，成爲你領上的虱子，襟上的草刺，扎得難受。你有賢明的母親，生來俊傑，有幹才的弟弟們，有豪強的夥伴，有七十三匹駿馬。我呢？自小父母就棄養，沒有兄弟，我妻好說閒言閒語，所以我失敗了，請安荅賜死的時候，不要讓我流血而死，把我的骸骨葬於高地，我必將永遠永遠祝福你的子子孫孫。』

成吉思汗見札木合死意堅決，也就成全了他的心意，降下聖旨：『叫他不流血而死，不要把他的骸骨棄在露天，好好殮葬。』（根據蒙古薩滿教的說法，流血而死是大忌，所以札木合如此忌諱。）

成吉思汗與札木合原是多麼親愛的安荅，結果卻要親自下達處死的命令，成吉思汗心中眞是痛如刀絞。

閱讀心得

【第556篇】

成吉思汗的功臣。

成吉思汗能夠建立偉大的帝業，最大的因素是他知人善任，恩威並濟，他重視紀律，言出法隨，但他也愛護部下，處處體貼入微。在征服乃蠻之後，成吉思汗論功行賞，把一個一個大將叫到跟前，加給恩賜，我們擇要介紹幾個：

木華黎（有的史書記為木合黎或木合里），他是個健壯的蒙古英雄，身長七尺，虬鬚黑面，猿臂善射，能挽兩百石的弓箭，對成吉思汗忠心耿耿。

曾經有一回，成吉思汗戰爭失利（勝負乃兵家常有之事，即使是成吉思汗也不例外），又遇到大雪，竟然找不到牙帳，只好在草澤中暫宿一晚。木華黎執意不肯睡，他站在雪深至膝的草澤中，手裡張著毛毯，瞪大了眼睛，豎起了耳朵，全神貫注守衛成吉思汗，整整一個晚上，一步也沒有移動。

第二天一早，成吉思汗帶著木華黎一行三十人，急馳在谿谷間，成吉思汗忽然轉過頭來問道：『萬一半途遇到強盜，那該怎麼辦？』

『我就用我的身體來抵擋。』木華黎迅速的回答。

過了一會兒，果然一群強盜自石中竄出，木華黎不慌不忙，張弓搭箭，三發中三人，強盜頭子大驚失色問：『你是誰，這般厲害？』

『木華黎也。』

於是，一群強盜知難而退。

木華黎的忠誠得自父教，木華黎的父親當初把兒子帶來時，曾經對成吉思汗說：

『我教他做你門限裡的奴隸，
若是敢繞過你的門限啊，
就挑斷他的腳筋，
剜出他的心肝！』

事隔多年，現在成吉思汗要論功行賞，他看著木華黎說：『我想起當年我們蒙古人在斡難河聚會，大夥兒快活跳躍，筵宴享樂，你父親就在枝葉繁茂的大樹下，把你交給了我，因此今天我才能坐在大位之上。

『我要叫木華黎的子子孫孫都做全百姓的國王，我封給你木華黎國王的名號，做合剌溫山（即興安嶺）的萬戶。』

成吉思汗並當眾誇獎木華黎：『我與你如同車首有轅，身上有臂也。』

除了木華黎，成吉思汗最感激博爾朮，讀者們還記得他嗎？就是成吉思汗在艱困年少時代遇見的小貴人，以後兩人一直形影不離。

成吉思汗對博爾朮說：『記得年幼的時候，我丟了八匹銀灰色的驃馬，我在路間住了三宿，我追蹤而去時，半途遇到了你，你熱情洋溢的非要給遠來困頓的朋友作伴，連家裡的父親都沒通知一聲，就把擠馬奶的皮桶蓋起來，丟在曠野，叫我把禿尾巴的甘草黃馬給放了，叫我騎你那名貴的黑脊梁白馬，你自己騎上那匹黃馬，和我作伴，追了三宿，我們才追回八匹白馬。』

成吉思汗嘆了一口氣道：『你不曉得我那時候有多感動，你是大財主納忽伯顏的兒子，而且是獨生子，你犯不著冒著生命危險，與一個一無所有的年輕人爲伴，只因爲你心中有豪傑之氣，願意與我同甘共苦。

『我也記得，當初我們分手以後，我心裡想你，叫別勒古臺喚你來作伴，你立刻披上灰色毛襖騎著甘草黃馬來了，一直到今天。』

成吉思汗與博爾朮眞是感情深厚，成吉思汗常說，每當輪到博爾朮值夜，他就睡得特別安穩，他二人都是軍事長才，經常促膝密談，通宵達旦。

汗山之役，成吉思汗寡不敵眾，將士潰失，第二天早上檢閱士馬，發現窩闊臺（成吉思汗之子）及博爾朮失蹤了，成吉思汗心煩意亂，他擔心博爾朮的安危，甚且超出兒子之上，許多人都說，沒見成吉思汗如此失態過。

又過了一天，博爾朮機智的奪了一匹馬，回到營中，成吉思汗這才鬆了一口氣，頻呼：『博爾朮無恙，天助我也。』

由於成吉思汗與博爾朮之間，不僅是長官與部屬的關係，更有一份惺惺相惜的知己之誼，所以，每當成吉思汗大發脾氣，只有博爾朮有辦法勸他息怒。

成吉思汗對博爾朮說：『你勇武的事蹟，我豈能盡述？你和木華黎兩個人總是催促我做正當的事，直到我做了爲止，總是勸阻我做錯誤的事，直到我罷手為止。我要讓你坐在眾人之上，九次犯罪不罰，出掌右翼，做以阿勒臺山為屏障的萬戶。』

成吉思汗又對蒙力克老爹說：『你我二人，出生，生在一起，長大，長在一起，你這個有福分的吉慶之人，對我的恩庇護助難以計算，尤其王罕、桑昆父子二人，要用計謀騙我前去的時候，虧得蒙力克老爹你的諫阻，否則，恐怕就落在打旋的水裡，正發紅的火裡了，我想起你的恩德，就到子子孫孫都不能忘記，現在我要你坐在這座位的頭上。』（就是坐在上席之意。

從以上三個例子，我們可以發現，成吉思汗對部下的好處，點點滴滴銘刻心頭，所以每當成吉思汗遇險的時候，就有人捨命救他，使他迅速恢復戰力，重整旗鼓，反敗為勝，這是成吉思汗高明之處。

閱讀心得

【第557篇】月倫教訓成吉思汗。

在上一篇中，我們講到成吉思汗大封功臣，其中包括曾經救了他一命的蒙力克老爹，然而蒙力克老爹的一個兒子闊闊出，卻讓成吉思汗傷透腦筋。

蒙力克老爹自幼隨同父親，做爲也速該的家臣，也速該遇害而死，鐵木眞兄弟年幼時，備受蒙力克老爹照顧，成吉思汗對這位長輩始終相當尊敬。

老爹一共有七個兒子，其中第四個兒子闊闊出是『帖卜騰格里』，這是蒙古薩滿教術士的尊稱，也可譯爲天使，帖卜騰格里長得怪模怪樣，專門做些有違常理之事。他曾經在冰天雪地裡裸奔，惹來衆人圍觀。他又曾經預測，『鐵木眞將稱汗，號爲成吉思汗』，由於預言準確，許多蒙古人對他深信不疑。

蒙古人是相當迷信的民族，因此巫師的話，具有一言九鼎的功效。以前豁兒赤曾經公開表示，他親眼見到神牛顯靈，預測鐵木眞做國家之主，使得許多札木合的部下，拋棄札木合，改爲投奔鐵木眞。

豁兒赤雖然有功於成吉思汗，但是他生平無大志，也沒有野心，只是貪圖美色，成吉思汗很容易就滿足了他的願望，讓他自由自在挑選三十位

美女爲妻，大享齊人之樂。並且封爲萬户。

但是，帖卜騰格里這個巫師，卻不是等閒之輩，他有強烈的政治野心，加上他有兄弟七人，家大業大，他的父親蒙力克老爹，又具有崇高的政治地位，可以作爲政治資本，這些因素加起來，使得成吉思汗對帖卜騰格里反感之至，別說是萬户，連千户都不肯封給他。

帖卜騰格里當然知道成吉思汗討厭他，他表面不動聲色，卻暗暗使了一條毒計，藉著當巫師的方便，離間成吉思汗與弟弟合撒兒的感情。

在成吉思汗的弟弟之中，合撒兒是神箭手，別勒古臺則臂力過人，兩人都是東征西討的英雄。別勒古臺是庶母生的，沒有地位，因此帖卜騰格里挑了合撒兒，做爲挑撥的對象，他到處對人說：『根據天象顯示，蒙古應該一次由鐵木眞掌國，一次由合撒兒掌國。』

蒙古人很相信巫師的預言，這則預言愈傳愈廣，動搖了成吉思汗的領導地位，成吉思汗頗爲不悅。合撒兒則暗暗欣喜，期待有掌國的機會，兄弟之間開始有了芥蒂。

帖卜騰格里乾脆一不做，二不休，先聯合七個兄弟下手，把合撒兒狠狠毒打一番。

合撒兒撫著傷口，跑去向成吉思汗哭訴。成吉思汗當時正在爲旁的事兒發愁，很受不了合撒兒又跑來煩，尤其心中有疙瘩以後，愈看合撒兒，愈覺得他橫眉豎目，相當不順眼。

成吉思汗皺著眉頭說：『你那麼能幹，凡是活人，都勝不了你，你怎麼會被別人打敗？』說著，丟下話就走了。

合撒兒被外人欺負，自己親哥哥非但不伸出援手，反而話中夾槍帶棍，冷嘲熱諷，合撒兒眼淚奪眶而出。回去以後，愈想愈委屈，一連三天都賭氣，不來見成吉思汗。

成吉思汗三天不見合撒兒，當然也知道他在生悶氣。成吉思汗自己也有一肚子的惱怒，眼不見爲淨也好。

正在此時，帖卜騰格里走進來，邊走邊呢喃：『長生天的聖旨，預示可汗，一次由鐵木真掌國，一次由合撒兒，若不趕緊把合撒兒去掉，恐怕就會釀成禍事。』

成吉思汗被帖卜騰格里這一激，當下作了決定，立刻出發，捉拿合撒兒，去除禍患，成吉思汗其他兄弟們，眼見骨肉相殘即將展開，急著飛報母親月倫。

月倫聽到消息，非同小可，用白駱駝駕了黑篷車，飛也似的一路趕了過來。

在黎明之時，月倫趕到了，只見成吉思汗把合撒兒的衣袖捆住，去了冠帶，正在氣虎虎的問話，在蒙古，去了冠帶表示去除權威，指爲罪犯之意。

月倫好生氣，她大步向前，親自把合撒兒捆住的衣袖解開，把冠帶還給了合撒兒，披戴起來。成吉思汗見老媽媽動了火，也不敢吭聲兒。

月倫踱著步子走來走去，壓不住怒火，然後，她坐下來，盤著雙腿，緩緩解開衣服，露出乳房，她難過的指著胸口道：『你們看到了沒有？這是你們都吃過的奶，你們這些一生出來就咬破自己衣胞的，弄斷自己臍帶的東西們，合撒兒做了什麼？你們要這般對待他？』

說著，月倫凌厲的目光掃過成吉思汗等人，一個一個都慚愧的低下頭，也速該早逝，他們兄弟都是寡母月倫帶大的，月倫有智慧，也能上戰場，成吉思汗兄弟們自小對媽媽是又敬又愛又怕。

月倫接著教訓道：『記得你們小時候，鐵木真只把我這一個奶吃完了，合赤溫、斡惕赤斤兩個人合起來，連一個奶也吃不完，只有合撒兒胃口好，把我兩個奶都吃完了，使我的胸膈鬆快舒服。所以，我的鐵木真心胸有毅志，我的合撒兒有射箭的力量與本領，能叫搭弓射箭的人降服，現在，敵人滅了，你就用不著合撒兒，要把他毀滅了？』

成吉思汗等母親稍稍平了怒火，才小心的賠罪：『讓母親生氣，我怕也怕了，羞也羞了！』垂著頭說：『我們走了。』

閱讀心得

【第558篇】

蒙力克老爹父子。

由於母親大人出面，合撒兒躲過了一劫，但是兄弟之間，已經撕破臉了，很難再重修舊好。成吉思汗爲了整個蒙古的統一，不得不先發制人，奪去合撒兒的百姓，只留給他一千四百人，當然，削兵權這件事是瞞著月倫的。

月倫後來還是知道了，她十二萬分的傷心，兒子長大了，母親的話也聽不進去了，一氣之下生了重病，沒多久，這位蒙古歷史上了不起的母親與世長辭，成吉思汗萬分悲痛，更加惱怒惹起爭端的帖卜騰格里。

另一方面，帖卜騰格里的聲勢日增，漸漸凌駕成吉思汗之上，甚且有講九種語言的百姓，日夜聚在帖卜騰格里那兒聚會，參加聚會的信徒，比聚在成吉思汗繫馬處的都多。所謂『繫馬處』，指的是蒙古王府，貴族府邸的左方或是左後方，外來者必須至此下馬。

帖卜騰格里能夠招攬信徒，主要因爲他是巫師。按蒙古和其他北亞的遊牧民族，除了一小部分住在山岳森林以外，其餘絕大多數的人，都是生存在天蒼蒼、野茫茫的大草原上，而對著疾風、暴雨、日月、高山、大河、森林、水火、人的生死、死後的去處，以及其他不能解釋的自然現象，都是形成原始宗教信仰的因素，這不只是蒙古民族的情形，其他古代民族的

宗教信仰也是如此。

薩滿教的巫師，多半有點精神異常，或是神經質，當他們精神發生異狀時，神靈附體，披頭散髮，身著法衣，一面朗誦禱詞，一面擊鼓搖鈴，舞步愈來愈快，直到昏迷不醒爲止。在他們失去知覺的時候，正是他們的靈魂出竅與神靈交通的時候，當他們甦醒過來以後，便可以把神靈的指示傳達給百姓。

帖卜騰格里上次耍了一招，害得成吉思汗與弟弟合撒兒失和，他食髓知味，又動起成吉思汗幼弟帖木格的腦筋，搶走了帖木格的百姓，也表示不把成吉思汗看在眼裡。

帖木格派了一位使者前去，結果，使者被痛痛毒打一頓，他們又把馬鞍綁在使者的背上，不懷好意的說：『你背上馬鞍，帖木格不就等於有了兩個使者。』

使者背著馬鞍，吃力的走了回來，哭哭啼啼向帖木格報告受辱的經過。帖木格第二天就自己去找帖卜騰格里理論：『我派了使者前來，挨了打，步行回去，現在我要自己來索回我的百姓。』

話還沒說完，帖卜騰格里兄弟七人一字排開，兇神惡煞似的指責：『你認爲你派使者前來是應該的嗎？』

帖木格是老么，平時受哥哥們的保護，生性比較懦弱，被七兄弟們一喝斥，害怕會挨打吃虧，囁嚅道：『派使者來，確實我的不是。』他聲音小得幾乎聽不見。

『既然自己知道錯了，你就跪在帳後悔過。』七兄弟輕蔑的發號施令。帖木格見他們人多勢衆，逼不得已雙膝落地，心裡頭恨得牙癢癢的，一遍一遍告訴自己：『看我回去怎麼告訴我哥哥去。』

第二天一大早，天還沒有亮，他就跑到成吉思汗的金帳裡，長跪榻前，一五一十報告受辱的經過，帖木格愈說愈傷心，說完以後便嚎啕大哭。

成吉思汗皺著眉頭聽完經過，他還沒有開口，孛兒帖夫人在被子裡欠身坐起，憂慮的說：『這些人到底準備做什麼，日前結黨，把合撒兒給打了，現在又爲何要帖木格跪在他後邊，這成了什麼體統，他們把你長得如松柏一般的兄弟加以謀害，完全不顧你的情面，萬一有一天，你如大樹一般的身體倒下來的時候，你的小兒子們如何掌管這亂麻一般的國家，群鳥一般的百姓，你不能不管一管啊！』說著，孛兒帖夫人啜泣的又哭了起來。

成吉思汗稍微思索一下，轉身對帖木格講：『待會兒，帖卜騰格里要來，你看著辦吧。』

帖木格立刻興奮的準備了三個強壯的大力士，等著報仇。

過了一會兒，蒙力克老爹和他七個兒子都來了。帖卜騰格里正要坐下，帖木格向前揪住帖卜騰格里的衣領說：『昨天，你教我悔過，現在我們較量一下吧！』帖卜騰格里也扯住帖木格的衣領，互相扭打著。

成吉思汗下令：『你們到帳外去，比試力量。』

一出了帳篷，三個預先埋伏的大力士就抓住帖卜騰格里，活活折斷了他的脊骨，扔在車輛的後面。

帖木格進來報告：『帖卜騰格里不肯較量，躺在地上怎麼也不肯起來，是個不中用的傢伙。』

蒙力克老爹一聽便知道是怎麼回事，他傷心的說：『我從大地只有一塊土這麼大，江海僅有一條溪這麼寬時就來作伴了，你們豈可如此？』蒙力克其他六個兒子挽起袖子，準備打架。成吉思汗一閃而過，佩了箭的護衛散班們在成吉思汗周圍站立著，六個兒子們也不敢再鬧事了。

成吉思汗派人看守帖卜騰格里的屍體，奇怪的是第三天夜裡，天將要亮的時候，帳房的天窗開了，連屍體也不見了，成吉思汗說：『帖卜騰格里向我弟弟動手脚，又在我兄弟之間無端的進讒言，所以不為上天所喜，連性命帶身體都不見了。』他又責備蒙力克老爹：『都是你不勸戒孩子們的品德，才闖下大禍。』但是，想到蒙力克老爹的功勞，成吉思汗又原諒他了。

閱讀心得

【第559篇】

金朝的滅丁計畫。

成吉思汗統一蒙古之後，他要做的第一件事就是對金國用兵，要一雪恥辱。

遠在金熙宗時代，蒙古的俺巴孩酋長與塔塔兒族作戰，俺巴孩失敗，被塔塔兒族擒獲，被送往金朝獻俘。金國當時國勢威猛，強大無比，金熙宗特別製作了一個刑具，名叫木驢，把俺巴孩釘在木驢上面，活活的釘死。消息傳到蒙古，蒙古人都異常悲憤。可是，悲劇還沒有劃上休止符，金熙宗見蒙古人個個強悍，很擔心日後蒙古韃韃會成爲金國的強敵，若不及早撲滅，日後必成爲大患。於是下令，每年派兵北剿，名爲『滅丁』。

金國的滅丁計畫之下，蒙古人每年白白犧牲了不少壯丁，但是蒙古這個民族，生性慓悍，仍然有如不滅的火種，並且一天較一天強壯。

俺巴孩死了以後，他的姪兒忽圖勒繼承了汗位，他恨透了金國，發誓要報金國殺叔之仇，他一輩子都在忙著復仇，與塔塔兒人打了十三次大戰，無數次小戰，總是敗多勝少，當然，更是打不過金國。

忽圖勒之後，繼承汗位的便是成吉思汗的父親也速該，可想而知，成吉思汗幼年就聽了不少金國的故事，尤其自母親月倫處得到的庭教，他牢牢記著曾祖俺巴孩被木驢酷刑處死的往事，隨時準備報仇。

當成吉思汗茁壯之際，剛好正是金章宗渾渾噩噩、醉生夢死的時候，金章宗之前爲金世宗，人稱『小堯舜』，是金朝九個君主之中，最爲賢能的一個。

金世宗以後，金章宗即位，金章宗即位以前，性好儒學，溫文儒雅，朝野上下都對他寄以厚望。豈料他當上皇帝以後，一切都走了樣兒。一變而爲聲色犬馬，貪圖享受，尤其是寵愛鄭宸妃，鬧出許多笑話。

鄭宸妃原是金世宗寵愛的人。金世宗過世以後，章宗立刻納爲己有。鄭宸妃聰明慧黠，善於諂媚，深得章宗的歡喜，每天把鄭宸妃摟在膝蓋上批閱公事，互相打情罵俏，當然弄不清奏章上寫的是些什麼了。

章宗承安三年，章宗帶著鄭宸妃到蓬萊院中擺酒宴客，院中陳列著五光十色的玉器，章宗拿起一件精雕細琢的瓷器，仔細辨認器上的款識，原來這些都是宋徽宗宣和年間宮中的御物，是金人佔領汴州時擄掠而來的，章宗猛然之間想起，宋徽宗在靖康之難中的慘狀，不都是因爲貪圖享樂而肇禍嗎？剎那之間，一張臉孔變得死白。

聰慧過人的鄭宸妃馬上察覺到章宗神色有異，她嫵媚的笑道：『製造物品的人，未必自己有福氣使用，南帝但知製造，以爲陛下用耳。』

鄭宸妃巧妙的說辭，使得金章宗轉憂爲喜，也就不以爲意了。

這年秋天，章宗偕同鄭宸妃赴東明園賞菊花，只見園中的玉屏，畫的是宋徽宗建造的艮嶽（即萬歲山，宋徽宗的故事，本書前面說過很多）。

章宗好奇的問內侍余琬：『這個畫的是什麼？雕梁畫棟，千巖萬壑？』

余琬回答：『啓奏陛下，這是南朝趙家宣和皇帝宋徽宗，運送東南花石建造的艮嶽，因而敗亡了國家，先皇帝（金世宗）命令將其畫下來，引以爲戒。』

這件事不偏不倚剛巧說中了鄭宸妃的心事，她曾經與章宗乘御輦經過御龍橋，看到橋是玉石砌成的，晶瑩可愛，立刻扭著身子撒嬌，央求章宗：『把橋拆下來，搬到宮中再重建嘛。』章宗爲了討美人歡喜，馬上答應了她的請求，並且在宮中建芳華閣、巖洞等等。

鄭宸妃認爲，余琬的話是衝著她來的，反脣相稽道：『宣和的亡國，並非用東南石建造艮嶽，而是錯用了童貫、梁師成這批小人。』

余琬明明知道鄭辰妃是避重就輕，卻也不敢分辯，金章宗遂未再把宋徽宗的教訓放在心上，依然沉迷於享樂。

由此可見，讀歷史雖然能教人聰明，使人勿蹈前人的覆轍，但也要有智慧、有毅力接受前人失敗的經驗。金章宗看到了宋徽宗的敗亡，金世宗也用圖畫，提醒章宗記取歷史的教訓，章宗卻還是走到了宋徽宗的老路子。章宗為了鞏固不穩的皇位，對自己的宗室大肆誅殺，殺了自己的叔父鄭王允蹈，連帶著要殺鄭王的兒子——愛王大辨。

大辨並非住在京城，他正在領兵鎮守邊疆五國城（今吉林省依蘭縣），這個地方與蒙古接壤。金章宗派了兵馬來捉大辨，大辨為了自保，轉向鐵木真求援。

鐵木眞正準備一報金人『滅丁』之仇，逮到機會，還不馬上含笑答應，他輕輕鬆鬆打垮了金朝軍隊，金朝的軍隊再也不是金兀朮時代的威風凜凜，不論都總管或是節度使，都是皇親宗室或世家子弟，絕大部分都是庸才草包，根本不能打仗，金朝前代的尚武精神蕩然無存，慢慢學會宋朝奢侈縱樂的風氣。

大辨靠著成吉思汗的協助，打退了金章宗的軍隊，但是『請神容易送神難』，既然把蒙古軍請了進來，再想把鐵木眞送走，可不是一件容易的事。

閱讀心得

【第560篇】

金朝遷都汴京。

在上一篇中，我們說到，蒙古人與金人結下血海深仇，蒙古祖先俺巴孩被金人打敗，金人設計了特製的『木驢』，把他活活釘死。以後，金人每年實施滅丁計畫，企圖滅蒙古人的種。

到了金章宗時代，國勢衰弱，章宗討伐屬下愛王大辨，大辨情急之下，請來鐵木眞助陣，鐵木眞輕而易舉打敗了章宗，大辨卻開始後悔引狼入室。鐵木眞挾持著大辨，要求牲畜，要求人口，要求布帛，大辨一點兒反抗能力也沒有，只得一一照辦。
大辨情急之下，鬱鬱以終，他年少不更事的兒子完顏雄繼承父位。鐵木眞聽到惡耗立刻派出大將戍守五國城，表面上是保護，其實等於佔領。
金章宗曉得鐵木眞厲害，不敢再和他交鋒，派遣衛王完顏永濟爲特使，賜予鐵木眞新的封號。當時，蒙古草原尚未統一，鐵木眞也沒有一舉滅金的把握，也就裝著笑臉，接受了新的封號。
蒙古與金人的衝突，暫時告一段落。
等到鐵木眞統一了蒙古，當上了成吉思汗，又過了兩年，金章宗去世，衛王永濟當了金朝天子。
成吉思汗是見過永濟的，一副畏畏縮縮的窩囊相，他打心眼裡看不起

永濟。因此，當金朝使者前來，成吉思汗詢問：『新天子爲誰？』『衛王也。』使者回答。話還沒有說完，成吉思汗的口水噴到使者臉上：『我原以爲中原皇帝是天上人做的，如此一個庸才，哪堪爲中原之主！』

成吉思汗立即斷了與金朝的邦交，再也不屑接受金人的封號了，並且揮兵居庸關，向金主求婚，並且請求割地。

金主最怕成吉思汗，委委屈屈的答應每年奉上三十萬，但是地不可割。成吉思汗大怒道：『其地我不能自取乎？』於是再度進兵雲中、九原，他三個兒子也分取雲內（今山西大同）等地。此時，金主永濟也領導不下去了，金將胡沙虎殺了永濟，改立完顏珣爲宣宗。

宣宗對蒙軍照樣一籌莫展，成吉思汗一舉囊括了金朝九十餘州，最後，成吉思汗下了一個通牒給金宣宗：『你家河北、河東郡縣，皆爲我所有，你今天剩下的，只有一個燕京而已，這是上天要削弱你家，我如果迫你於危境，那是我不仁，不如我撤兵，但是，你要備重金犒師，以平息我將士們之憤怒。』

金宣宗哪兒敢不依，他獻上金帛、馬匹，並且把金朝最美麗、最賢慧的美人兒——完顏永濟的女兒獻給成吉思汗，另送童男女五百名，繡衣三千襲，御馬三千匹及數不盡的金銀財寶運到蒙古。

成吉思汗欣然接下了禮物，並且下令金宣宗向北邊遙拜，表示對蒙古大汗的尊敬。金宣宗別無選擇，只得照辦。成吉思汗這才下令北歸。

金朝滿朝文武簡直被成吉思汗嚇破了膽。蒙古兵一走，眾人議論紛紛，個個都察覺，燕京是待不下去了，金宣宗下令立刻遷都，愈早愈好。於是，金朝慌慌張張打點收拾，把燕京國庫中的金、珠、犀、玉、琥珀、瑪瑙，宮中所存的文書、檔案，連同嬪妃、侍從與中央高級官員，一股腦兒用三萬輛馬車，三千頭駱駝，浩浩蕩蕩運到新都汴京（河南開封），也就是北宋時代的首都。

當金宣宗帶著文籍、書畫、圖史等器物回到汴京，汴京城中百姓喟嘆：『想不到九十年前被金人擄走的東西，現在又回到汴京了。』也有人交頭接耳道：『家中長輩們說過，靖康之難時，金人是何等張狂，不想不到一百年，金人也有今日。』

金宣宗氣喘吁吁逃到汴京，心臟還在撲通撲通的跳個不停，忽然聽說成吉思汗又發了脾氣。

原來，成吉思汗認爲：『既然雙方講和，還要遷什麼都？可見得講和是假的，對我有懷疑，對我有遺憾，講和根本是一著緩兵之計。』

成吉思汗緊接著，派出軍隊，直攻燕京，金朝宮室被焚，大火一連燃燒了一個月，滿目瘡痍，金朝的宗廟、神器、陵寢完全落於蒙古人手中。

蒙古軍並沒有以攻下燕京爲滿足，成吉思汗最終極的目的是整個兒摧毀金朝，所以渡黃河，追蹤南下，金宣宗著急萬狀，遣使求和。

成吉思汗回答：『和是可以和，但是要把河北、山東我軍取得的州郡，立即獻下，並且除去帝號，俯首稱臣，不如，我封你爲河南王。』

金宣宗不肯答應成吉思汗的條件，雙方再燃戰火，也許金人想到這是生死存亡關頭，所以個個勇敢作殊死戰，使成吉思汗的南攻受到挫折，於是，成吉思汗便轉而先攻西夏、西遼，並破花剌子模，深入中亞細亞，征服阿富汗，揚威高加索。滅亡西夏之後，鐵木眞得了病，他臨終之前，仍然念念不忘交代：『金國的精兵在潼關，不易攻破，如果假道宋朝，使我軍直搗汴京，金人發急，必然調潼關兵回守汴京，我們就可破潼關了。』成吉思汗最後遺留下來的錦囊妙計實行與否，請讀者再慢慢兒看下去。

閱讀心得

【第561篇】

花剌子模國王阿拉丁。

成吉思汗在短期之內，攻不下金朝，決定暫緩，因而開始了蒙古第一次西征，目標是——花剌子模。

花剌子模是當時中亞最大的帝國，由回教徒所建立，又稱之爲回回國，他所佔領的地方就是古波斯地，也就是今天的伊朗。

蒙古滅西遼之後，所領疆域，東起渤海，西到葱嶺，與花剌子模相接壤，成吉思汗也聽說花剌子模是西方一個大的回教國，爲了拉攏友誼，他曾經寫了一封信給花剌子模的國王阿拉丁，這封信寫得是霸氣十足：

『我知道貴邦土廣人眾，願意與貴邦彼此修好，我愛貴國之君，有如我愛自己的兒子一般。君當知我已經征服女真，統有中國北部，以及諸突厥族，戰士如螞蟻一般多，財富積山，實在用不著覬覦他人領土，我所希望的，不過是雙方互市罷了。』

花剌子模的國王阿拉丁看了信十分生氣，他不曉得自己怎麼平白當了人家的兒子，莫名其妙的短了半截，當天晚上，找了帶信的使者——花剌子模商人馬合木來問話，並且吹鬍子瞪眼睛道：『他是什麼人，有多少兵力，竟然敢把我當兒子？』

馬合木見阿拉丁發脾氣，他知道阿拉丁火起來不是好玩的，立刻諂媚

的說：『蒙古汗哪裡能夠與你相比呢？』

阿拉丁把成吉思汗的國書一摔，恨聲道：『總要讓他知道我不是蒙古的兒子。』不過，阿拉丁還是答應互市通商。

過了沒多久，有一批維吾爾人，約莫一百多人左右，受了成吉思汗的委託，帶著許多東方貨物，前往花剌子模貿易。不料，走到錫爾河附近，竟然被花剌子模守將逮捕，指稱他們是蒙古人派來的間諜，全部捉起來殺掉，貨物充公沒收。

其中有一個商人比較機警，溜得飛快，他奔回蒙古，一五一十向成吉思汗報告。

成吉思汗一聽之下，活活氣個半死，立刻派遣一個使者、兩個副使前往花剌子模交涉，並且傳話道：『貴國前與我約定，不得虐待兩國商販，今日忽然之間違約，你枉爲一國之主也。假如此次殺人越貨之事，果然是貴國守將所爲，請將守將交給我懲罰，否則，請即備戰……』

花剌子模國王阿拉丁，不滿意成吉思汗教訓人的口氣，不但沒把守將交出，反而殺了使者，讓副使回去通風報信，又爲了羞辱副使，竟然把兩位副使的鬍子給剃了。

成吉思汗看到副使歸來，面頰青光閃閃，毛髭髭的鬍子給剃個一根毛也不剩，火大透頂，認爲是奇恥大辱，他脫下帽子，解開衣帶，跪在地上發誓道：『爲了兀忽納等一百使臣，我要以冤報冤，以仇報仇，征伐回回……』

在征伐之前，也遂夫人提醒成吉思汗說：『可汗打算越過峻嶺，橫渡大河，長征絕域。假如你那大樹一樣的身體倒下去，你那像群雀一般的百姓託付給誰呢？

『在親生的四個兒子之中，到底要指定誰？應該叫你諸子、諸弟、衆多臣民們，和我們這些無知無識的人知道啊，我把所想到的提出來了，願意聽候聖旨裁決。』

其實，也遂夫人提出來的問題，其他人也想到過，但是，誰有這麼大的狗膽？在此，不能不介紹一下也遂夫人。

成吉思汗的後宮佳麗，人數衆多，分置四處，稱之為四大斡耳朵。在打敗塔塔兒人之後，成吉思汗納了也客扯連的女兒也速干夫人，也速干十分美麗，很得寵幸，也速干夫人對成吉思汗說：『我蒙可汗恩典，叫我確確實實受人抬舉，我有一個姊姊，名叫也遂，比我更美麗，比我更配得上可汗，她已有了夫婿，如今在這離亂之中，不曉得到什麼地方去了。』

成吉思汗半開玩笑道：『若是你姊姊比你還好，我就派人去找，若是你姊姊來了，你把這位子讓給她嗎？』

也速干夫人答道：『如果蒙可汗恩典，只要看到我姊姊，我馬上讓位給她。』

因此，成吉思汗頒下聖旨，叫人尋找，當也遂與夫婿進入森林時，遇到蒙古大軍，她丈夫嚇跑了，也遂夫人就被帶了回來。

也速干見到姊姊，站了起來，把位子讓了出來。成吉思汗發現也遂果然更美，很合心意，馬上娶了也遂，也遂也很高興。

塔塔兒人完全被滅之後，有一天，成吉思汗在外面飲宴，也遂夫人、也速干夫人陪在兩側。也遂夫人忽然長嘆一口氣。成吉思汗心細如髮，他把木華黎等人喚來，降下聖旨：『你們這些聚會的人，快快按各個部族聚在一塊，可能有陌生人侵入了！』

果然，有一個苗條清瘦的年輕人站了出來，他說：『我是塔塔兒也客，是也遂的丈夫，被敵人俘虜的時候，害怕逃走，以爲現在安定就來了，我沒料到混在衆人當中，怎會被認出來呢？』

成吉思汗擔心他想報仇，降旨道：『在眼睛看不到的地方，把他殺掉！』於是，也遂的夫婿便被殺了。

當時蒙古人搶親是合法的習俗，倒不能用漢人眼光批評成吉思汗的做法，在眾多妻妾之中，也遂夫人最受寵，經常隨侍成吉思汗左右，因此，也遂夫人才有膽量提出成吉思汗身後的事。

閱讀心得

【第562篇】

繼承人風波。

在上一篇中，我們說到，成吉思汗西征之前，也遂夫人提醒他，早日指定繼承人，以免有一天成吉思汗『那基石一樣的身體倒下去時，像群雀一般的百姓託付給誰？』

成吉思汗說：『也遂是個婦人，說的話非常有理，弟弟們，兒子們，誰都沒有提醒過我，我也把這事忘了。有一天，我也要追隨祖先而去。我豈不是忽略了大事？我也脫不過死亡的捆索。在我的兒子之中，朮赤最長，你怎麼說？』

朮赤還沒有開口，老二察合臺立刻插嘴道：『讓朮赤先說，這豈不是要把國家託付給朮赤嗎？我們怎麼可以叫這個由蔑兒乞人那裡帶來的人管轄呢？』

讀者們還記得嗎？鐵木眞與孛兒帖結婚之後，蔑兒乞人前來報仇，擄走了孛兒帖。後來，當鐵木眞搶回愛妻之時，孛兒帖已大腹便便，沒多久就生下了兒子。成吉思汗將長子取名爲朮赤，朮赤在蒙古語的意思是『客人』。可見得成吉思汗也懷疑朮赤其實不是自己的兒子。

朮赤長大了，自然也曉得這件事，心中一直耿耿於懷。成吉思汗這個做爸爸的，倒是挺有風度，從來沒有提起過，也從來沒有差別待遇。

這一回，察合臺直直的對準朮赤的心病戳過去，朮赤豈能忍受，他像青蛙般一躍而起，揪住察合臺的領子說：『汗父都從來沒說過什麼，你怎敢挑剔我？你呢，你又有什麼技能比人強？不過是比人剛愎自用罷了。不信，你試試看，我們兩人比賽射箭，若是你勝過我，我把拇指砍下來丟掉。我們兩人比賽摔鬥，若是你打贏了我，我在那兒倒下，也就永遠待在那兒，讓我們聽憑汗父的處置吧！』

察合臺不甘示弱，也牢牢的揪住朮赤的手，眼看著一場火併馬上就要開始了，成吉思汗一句話也不說，靜靜的坐在一旁，彷彿若有所思。

這時，闊闊搠思霍地一下站了起來，對察合臺說：『察合臺，你忙什麼，趕快停手！』說也奇怪，察合臺居然就放下手，乖乖的聽闊闊搠思發言，闊闊搠思是直言敢諫之臣，成吉思汗曾經指派他爲察合臺的師傅，命令他時時勸戒剛愎成性的察合臺。

闊闊搠思指著察合臺的鼻尖道：

『啊，你把你聖明的母后說得，
酥油一般的心都冷卻了；
奶子一般的心都凝結了！
你不是溫暖暖的從這個肚皮裡生出來的嗎？
你不是火熱熱的從這個衣胞裡生出來的嗎？
不應該讓你親生的母親艾怨，
你汗父建國之時，

前額的汗流到腳底，
腳底的汗衝到前額。
你的母親共嘗艱苦，
她把喉嚨空著，叫你們吃足，
她把你們的皮襪子收拾乾淨，
她把你們的腳後跟墊起加高，
心明如日，恩洪似海啊！』

察合臺聽了闊闊搠思一番話，慚愧得低下頭來。當然，更不敢再與朮赤決鬥了。

於是成吉思汗降下聖旨：『你怎麼能夠這樣說朮赤呢？朮赤不是我的

大兒子嗎？這些話，以後不許再說了！』

察合臺沉思了一會兒，微笑著接口：『朮赤是有力氣，有技能，不用再爭論。我和朮赤是諸子之長，願爲汗父一同出力，誰要是躲避，就把誰劈開，誰要是落後，就把誰的脚跟砍斷。窩闊臺爲人忠厚，我們不如共擁窩闊臺吧！』

成吉思汗心想，這個主意倒也不錯，朮赤本來可能是蔑兒乞人帶來的種，這是誰都知道的事情，如果讓朮赤繼承汗位，恐怕的確不容易服衆，他轉頭詢問朮赤：『你呢，你有什麼話要說嗎？』

朮赤想一想，覺得老三窩闊臺爲人敦厚，由他繼承汗位總比察合臺強，遂也滿口應諾道：『察合臺已經說過，我們兩個人願意並行效力，我們推窩闊臺吧！』

成吉思汗昂首笑道：『哈，何必並行，大地遼闊，江河衆多，你們可以分領各地，鎮守各邦。』頓了一會兒，他又不放心道：『朮赤、察合臺，你們兩個人說到就要做到，不要爲爭奪汗位被百姓所嘲，被人民所笑。』

『窩闊臺，你呢，你的看法如何？』成吉思汗用嘉許的眼光望著老三。

『可汗父親的恩典，我不知道該怎麼說才好，我只有盡我所能，謹愼的小心去做，今後，我只害怕在我子孫之中，生了包在青草裡牛不吃，裹在脂肪裡狗不吃的，以至於野鹿跳竄，發生差池，別的，我還能說些什麼？』

所謂『包在青草裡牛不吃，裹在脂肪裡狗不吃』意思是子孫不肖。

最後，成吉思汗又問他第四個兒子拖雷，拖雷是老么，成吉思汗和大多數的父母一樣，最疼老么，拖雷很夠意思的說：『我願意在汗父指名的兄長跟前，提醒他忘記的，喚醒他睡覺的，做他隨時呼喚的夥伴，守應諾絕不食言，守崗位絕不空閒，爲他長征遠地，爲他短兵迎敵……』

成吉思汗好高興，他擱在心中的一塊大石頭，終於平平穩穩的落地了。

閱讀心得

【第563篇】成吉思汗西征。

成吉思汗安排妥當繼承人問題以後，開始積極備戰，大舉西征，向花剌子模討回公道。

成吉思汗親自點了二十萬大軍，浩浩蕩蕩的出發，兵種包括了步兵、馬兵、砲兵、工兵，以及輜重（輜重是軍需品的意思，糧食、營帳等等），其中最特別的是砲兵，原來，此時蒙古人已從攻金人的戰爭之中，獲得了砲匠，學習製造了多門大砲。

這支隊伍之中，還包括了木工、鐵工、專門修理雲梯等戰具，再加上大批運輸糧食的駱駝隊、馬隊，眞是聲勢浩大。根據耶律楚材的西遊錄記載，這次的西征可以說是：『車張如雲，將士如雨，馬牛被野，兵甲赫天，煙火相望，連營萬里，千古之盛，未嘗有也。』

成吉思汗出兵的時間，選在夏季六月，熱不可當。但是，不選在夏天也不行，因爲大軍西行，必須要越過阿爾泰山（金山），再循著天山行進，由於高山嚴寒，非得在秋末之前，完全通過天山。

在這個漫長的征程之中，到處都是崎嶇無比的山地，人與馬通行都十分困難，隨時隨地都要靠工兵作業。其中有兩處工程最爲艱鉅，一個是在金山（阿爾泰山）山上開道，一是在迪化——伊犁之間天山險要之處，伐

木架橋，其中有一處，竟然架了四十八橋，即使以今天的眼光來看，也讓人爲之目瞪口呆，因此，西方史學家普雷汀（Prawdin）所著的《蒙古帝國》一書之中，把成吉思汗的西征，比喻爲拿破崙度阿爾卑斯山。

成吉思汗西征，花剌子模國中，最緊張的一個人，應該是訛荅剌的守將哈赤兒罕。原先，有一批維吾爾人，受了成吉思汗的委託，準備到花剌子模換購花剌子模的珍品，如鍊甲、鋼盔、銅盾、阿拉伯彎刀（偃月刀）、婦女裝飾品、玻璃製品、五色地毯等。結果，哈赤兒罕把這批商人，當成蒙古間諜殺了，貨物沒收，惹怒了成吉思汗。

哈赤兒罕做夢也想不到，蒙古大軍居然眞的會來進攻，因爲成吉思汗在紅沙漠地區，大概至少要行軍半個月之久，在沙漠行軍是一件相當危險的事。距今五、六百年前，俄國人侵略中亞時，有一支騎兵部隊，通過這個紅沙漠地帶，全部馬匹完全喪失。因此，成吉思汗的大軍，突然從沙漠裡冒出來，好像飛將軍自天而降，的確是會把花剌子模人給嚇死。

成吉思汗不但長於戰鬥，而且粗中有細，懂得從事間諜戰，他在出發之前，已經自中亞商人口中，知道花剌子模的太后單獨居住在故都玉龍傑赤，她非常喜歡干涉內政，與國王阿拉丁時常有政見或人事上的衝突，成吉思汗悄悄派了使者對太后說：『蒙古軍無意進攻故都，請你放心，在完成各地的征服之後，當以科拉珊一地獻給太后。』

太后沒答理，可是，卻也沒出兵，使得成吉思汗免於來自背面的威脅。

哈赤兒罕是罪魁禍首，他自己也清楚，萬一被逮，不可能被放過一馬，決心以死報主，力拚到底。成吉思汗一共進攻了半年之久，才攻破城門，他用了一個非常殘忍的辦法處罰哈赤兒罕——就是用鎔銀液灌滿了他的嘴巴、耳朵，水銀瀉地，無孔不入，哈赤兒罕就皮肉分家了。

接著，成吉思汗進攻布哈剌市，信奉回教的長老們列隊出城投降。成吉思汗遂以勝利者的姿態入城，進駐回教大理寺，把裝可蘭經的漂亮經櫝打開，然後粗魯的摔出一本一本的可蘭經，讓馬蹄在可蘭經上來回踐踏，並且將可蘭經壇改當成馬槽，讓馬兒在回教徒視爲神聖之地餵馬、拉屎。

可蘭經是回教（伊斯蘭教）的經典，是穆罕默德的言行紀錄，它的要旨包括一、信仰唯一的眞神；二、認爲穆罕默德爲神所命的先知；三、恪守嚴格的宿命說。回教徒具有尚武的精神，一手執劍，一手捧可蘭經，回教徒性格慓悍，碰到了蒙古人，也只有甘拜下風。

上一回，成吉思汗派了使者前來花剌子模，結果，一個使者被殺，其他兩個使者被剃光了鬍子放回，成吉思汗視之爲奇恥大辱，所以這一回，成吉思汗侮辱了可蘭經之後，在回教大禮拜寺中，置酒宴飲，歌舞狂歡，甚且命令長老阿訇擔任酒保，爲蒙古人服務。

第二天，成吉思汗下達命令，逼迫二百八十個富翁，自動獻出密藏的財富，或是威脅僕役，要求他們代替主人，繳出金銀寶貝。

成吉思汗看出回教徒的恨意，他聚集人民，圍繞在城外的廣場（這兒平日爲回教徒盛會祈禱之所），登上壇場，透過翻譯，告訴大家，蒙古人不得不用兵遠征的原因，並且表示：『假如你們不是犯下大過，上帝爲什麼會把災禍降臨到你們的頭上？』

回教徒們，對這次成吉思汗西征，看成是歷史上可怕的『黃禍』，蒙古人本身的記載很少，阿拉伯人的記載則十分詳細，但是阿拉伯人記述的戰敗受辱情形，多多少少有些兒懷恨的意味，自然也不能全信。

閱讀心得

【第564篇】札蘭丁的困鬥。

上一篇我們說到，成吉思汗大軍西征，花剌子模力不克敵，節節敗退。蒙古軍隊相當殘忍，前後多次屠城。當他們佔領花剌子模國都撒馬爾干以後，先命令當地人民聚集在一塊兒，讓民眾換上蒙古服裝，等大家都安了心，蒙古軍出其不意，把所有民眾都殺光，一共殺了三萬多人。

但是其中有一種人，蒙古軍隊不殺，那就是工匠。回教徒之中，有許多手藝高超的工匠，成吉思汗挑了三萬工匠，分別賞給諸子諸將，以供驅使。後來，蒙古軍又擄掠了十萬工匠，送到東方，據說這是東方各地有回教的起源，在中國大陸，現在還有不少回回，就是當時回民的後裔。

在撒馬爾干還遇到一件新鮮事，蒙古人頭一回看到戰象，他們對這種有長長的鼻子，大大的招風耳的動物，覺得十分有趣，蒙古人問：『這是什麼怪獸，吃些什麼？』

當地人回答：『這是象，吃草就可以了。』

蒙古人沒養過象，頭一回養二十頭戰象，讓牠們和蒙古馬一般放牧，沒多久，二十頭象都被蒙古人養死了。

當成吉思汗大舉進犯之時，花剌子模的國王阿拉丁不在首都撒馬爾干，成吉思汗命令哲別、速不臺兩名大將追擊，他說：『不擒到阿拉丁，

就不要回來，不論他逃到天涯海角，都要緊追不捨。』

阿拉丁召開緊急的御前會議，有一派大臣主張扼守阿母河，另一派則主張遠走哥疾寧，集兵抵抗，假如不幸失敗，還可以投奔印度，阿拉丁贊成第二個方案。但是，阿拉丁長子札蘭丁卻不以爲然。

札蘭丁要求父親，把兵權完全交給他，放手一搏，他說：『我們必須與敵人決一死戰，即或打敗了，人民也沒什麼可埋怨的。不然的話，平日政府抽取重稅，供養軍隊，敵人來時，則遺棄人民，自己遠走高飛，一任韃靼蹂躪，似乎說不過去。』

所謂韃靼，指的就是蒙古人。

阿拉丁不理會兒子札蘭丁的說法，他還是以爲，保命要緊，可是，他問的命似乎仍然保不住，當他逃到馬三得蘭，已經染上了重病，他虛弱的問當地酋長：『我躲到哪兒，才可以逃開韃靼的追擊？』

土酋說：『不如暫時躲在裡海中的一個小島上吧！』

阿拉丁長嘆一口氣：『好吧，現在也只好這樣了。』

當阿拉丁隨著土酋，到達裡海中的阿必思昆小島，一片瘡痍，他忍不住哀哀嚎嚎的哭了起來，他說：『想不到，堂堂一國之君，這兒卻成了我的墳墓。』然後，在土人的幫忙之下，七手八脚的把帳篷搭了起來。

沿岸居民聽說國王避難到此，紛紛帶著糧食、衣物前來呈獻，也有一些隨從們跟著來到小島，但是，這些患難中的眞情並沒有減緩阿拉丁的病情，他遭逢國難，一籌莫展，每天早晨醒來，發現自己不住在皇宮中，反而流落在荒涼的小島上，不免淚下兩行，哭久了，眼睛也矇矇朧朧，看不清楚，他自知不行了，召集諸子在病榻前交代後事，他微弱的說：『國勢顚危，非札蘭丁不足以光復故土。』說著，他把佩刀解下來，親自爲札蘭丁繫上，並且要求諸子對札蘭丁宣誓効忠，這一年是西元一二二一年正月裡。

阿拉丁交代後事不久便死了，草草葬在荒島上，札蘭丁帶著弟弟們，潛回故都玉龍傑赤。

玉龍傑赤是花剌子模的故都，原爲太后掌理（請參考上篇），太后聽說韃靼兇暴之後，嚇得逃之夭夭，城中無主，一片混亂，見札蘭丁兄弟歸來，十分欣喜。成吉思汗命令朮赤、察合臺合力進攻玉龍傑赤。

然而，朮赤與察合臺一向是不合的，察合臺認爲，朮赤是蔑兒乞人帶來的『野種』，因此，對這位大哥始終不敬，兩人意見不合，號令不能統一，紀律廢弛，花剌子模人利用兄弟鬧糾紛的弱點，每每使得蒙古兵損折不少，因此，蒙古軍隊一連攻了六個月，竟然不能攻下玉龍傑赤。

成吉思汗當時在塔里寒避暑，聽到軍中不和的消息，大爲震怒，命令改由窩闊臺統一指揮軍事。窩闊臺一方面調和大哥、二哥之間的不合，一方面嚴申紀律，士氣復振，於是下令全面進攻。

蒙古軍隊登梯而上，雙方展開激烈的巷戰，玉龍傑赤城中的婦女也加入戰爭，火辣辣的打了七天以後，回人投降，在這一場戰爭之中，據說蒙古兵五萬人，平均每人殺二十四人，一共屠殺了一百二十萬人，是一場非常殘酷的慘劫。

在蒙古軍隊攻擊阿母河北岸時，有一位老婦人大呼：『我有寶珠願意獻上。』等到問老婦，寶珠在哪兒，她回答：『吞到肚子裡了。』蒙古人剖開她的肚子，果然看到圓亮的珠子，從此以後，凡是被殺的，都要再剖腹，看看能不能夠挖到寶貝。

回人兵敗如山倒，成吉思汗親率大軍，追趕札蘭丁，一直追到印度河畔，將札蘭丁重重包圍，成吉思汗有意生俘札蘭丁，下令軍中不許放箭，札蘭丁率領殘部七百多人左衝右突，衝出重圍，然後從二丈高的山崖，躍入印度河中，泅水逃走，成吉思汗目睹如此英勇的花式跳水，回過頭來，對兒子們說：『眞賽因把兒禿兒(蒙古語，眞是好漢的意思)，凡爲人子者，不當如此嗎?我自用兵以來,還沒見到如此勇健的!』諸侯紛紛要求躍入印度河中,生擒札蘭丁,成吉思汗卻起了愛才之心,放過札蘭丁一馬。

閱讀心得

【第565篇】

耶律楚材的故事。

成吉思汗所統率的蒙古軍隊，橫掃歐亞，攻無不克，征服了難以數計，不同種族的不同敵人，是歷史上空前善戰的民族，它是有原因的。

首先，蒙古人生長於北方草原地帶，荒涼寒冷，民族性耐寒忍飢，體魄強健，人人都能騎馬射箭，從小練習狩獵，時時要與野獸肉搏，所以嗜殺成性，不覺得是殘忍。當蒙古軍隊出征時，沒有發給餉給，一切生活工具自備，戰勝所得的戰利品，用以分配將士。因此，農業國家作戰，是國家的負擔，人民感受到極大的痛苦，蒙古人作戰，則是國家發動總生產，而且打仗是一件快樂又刺激興奮的事。

成吉思汗一再告誡屬下：『戰時擊敵，當如飢餓的鴿搏取獵物。』蒙古軍隊採用恐怖戰略，敵人望風投降者，可以放他一馬，稍微有抵抗的，則在城陷之日，盡量屠殺，形成一股慓悍的狂風暴雨，幸而在這段時期，成吉思汗結識了耶律楚材與邱處機，在他二人的勸戒下，稍微減少了殺戮，否則將更爲恐怖。我們先介紹耶律楚材的故事。

耶律楚材是遼朝的宗室，他自稱爲東丹王八代孫。東丹王名叫耶律倍，遼太祖的長子，既然是長子，爲何沒有繼承帝位呢？其中又有一段撿木柴的故事。

遼太祖對於選擇嗣君十分慎重，他要在三個兒子之中，挑選一個最適合的人選，繼承他的王業。

在一個大雪紛飛的日子，一家人圍著火取暖，眼看著，木柴快要用完了，遼太祖命令三個兒子去撿木柴。

過了沒多久，老二耶律德光回來，手上捧著一大捆木柴，裡面有大有小有乾有溼，他先把乾的木柴投入快要熄滅的火中，再把溼的木柴圍著熊熊烈火，繞成一圈，等到溼的木柴烤乾了，再丟到火裡。

遼太祖看了猛點頭，暗暗讚賞老二聰明。

正在此時，老大也回來了，他精挑細選，找了一些乾爽適中，適合取暖的木柴，看得出來是花了一番工夫，可是比較之下，不及老二腦筋活絡，加上平日過於文弱，遼太祖不喜歡他的文縐縐模樣。於是，老二耶律德光雀屏中選，當了遼太宗，當遼太祖滅了渤海國以後，把渤海國改名東丹，老大成爲東丹國人皇王。

耶律楚材的父親名叫耶律履，爲金章宗所器重，做到宰相，他六十歲才生下楚材，楚材三歲，父親便去世了。楚材生下不久，他父親曾預言：『此兒他日必成偉器，然當爲異國所用。』所以取名爲耶律楚材。楚材晉用語出於左傳，原意爲楚國的人才，被晉國所用，引申爲人才外流，爲他國所用之意。

耶律楚材有一個好媽媽，他的經史學問，都是母親教的，又受了母親的影響，自幼喜佛，十七歲時，拜著名禪師萬松老人爲師，學禪三年，自號爲湛然居士。他的漢學根基極深，是一位循循儒者，他精通經學、佛理、天算、醫學，又通曉契丹、女眞、蒙古語文，還會寫一手好詩。

當蒙古人攻破燕京時，他曾經一度隱居，專心學佛。成吉思汗久聞大名，特別召見。一見之下，發現耶律楚材身長八尺，美髯當胸，聲如洪鐘，儀表非凡，漂亮極了，立刻豪氣萬千的說：『遼金世仇，我今天爲你雪恥！』

豈料耶律楚材一欠身道：『臣之祖父、父親皆北面事奉金人，既已爲臣子，豈敢再仇視君父？』

成吉思汗認爲耶律楚材光明磊落，十分欣賞，就把他留了下來，命令左右尊之爲『吾圖撒合黑』，意思是美髯公。從此，耶律楚材就跟著西征。

當成吉思汗討伐回回時，正値六月，忽然颳大風又飄大雪，成吉思汗好驚奇，耶律楚材說：『玄冥之氣，見於盛夏，是克敵的象徵也。』後來，果然如此，成吉思汗對耶律楚材信之不疑。

成吉思汗最重視技術人才，尤其是擅長於製造武器，以及工程建設的人，所以他雖然屠城掠地，遇有這類人才，總是一律留用不殺。曾經有一個西夏人，名叫八斤，是一個製弓專家，他仗著成吉思汗的寵愛，輕蔑的嘲笑耶律楚材：『國家正要用武，留著耶律這樣的儒者，不曉得有什麼用？』

楚材道：『治弓還需要弓匠，難道治理國家，竟然不需要國匠嗎？』這句話的意思，很像當年陸賈對漢高祖所說的：『馬上得天下，不能於馬上治之。』

過了不久，八斤就領教了國匠的本事。

成吉思汗攻下靈武以後，衆人忙著搶金帛子女，只有耶律楚材找了許多大黃，大黃是一種中藥，根部可以做特效止瀉藥。後來，士卒遭到瘟疫，一萬多人都在鬧肚子，幸虧服了大黃才痊癒。

由於耶律楚材有這等本事，所以他勸阻成吉思汗減少殺戮，頗有效果，成吉思汗臨終前，曾經對太宗窩闊臺說：『此人是天賜我家，以後軍國庶政，都可以委託於他。』

總而言之，由於耶律楚材的出現，使得成吉思汗逐漸的重視、接受漢人文化，在屠殺之中，還能粗枝大葉創立行政系統。而耶律楚材受到成吉思汗的提攜，使他後來成爲元太宗窩闊臺時代，立國建制的核心人物，他著有《西遊錄》一書，記隨軍西行見聞，好像是戰地記者，可作為成吉思汗西征史的重要參考資料。

閱讀心得

【第566篇】長春眞人邱處機。

成吉思汗在西征期間，除了徵召耶律楚材以外，還找來一位特殊的人物，發生了極大的影響，那就是長春眞人邱處機。

成吉思汗平日非常相信一個御醫——劉仲祿。劉仲祿不但醫術高超，而且是一流的造箭專家。劉仲祿經常對成吉思汗說：『我聽說在山東地區，有一個邱神仙，活到三百多歲了，很懂得保養與長生之道。』

劉仲祿今天說邱神仙法術如何高超，明天又說邱神仙怎麼靈驗，久而久之，邱神仙變成成吉思汗心目中熟悉的人物。因此，成吉思汗大舉西征之前，想到前途莫測，需要一位高人指點，特別派劉仲祿請邱神仙赴行宮一談。

蒙古人生存在天蒼蒼、野茫茫的大草原上，對於日月星辰、天地山川都相當敬畏，一切的疾風、暴雨、閃電、雷霆，都視之爲蒼天的威嚴。不免相當迷信，成吉思汗的愛妻被擄，他爲了躲避敵人，藏身在不兒罕山時，曾經捶胸禱告，感謝不兒罕山，並且起誓：『對於不兒罕山，每天清晨要祭祀，每日白晝要祝禱，我子子孫孫，切切銘記。』

蒙古人所信仰的薩滿教，並沒有什麼深奧的教義，只要這些宗教不反對可汗，不反對蒙古帝國，那麼，所有的宗教都是好的。成吉思汗當初被

擁爲大汗，巫師豁兒赤功不可沒，因此，成吉思汗急於想見邱神仙。

邱神仙名喚邱處機，自號長春子，十九歲時在崑崙山拜重陽眞人爲師，聽起來像是武俠小說上山求藝一般，其實不然，全眞教主要是講求道德及內省。

原來，在北宋末年，女眞人入主中原，異族征服，政令繁苛，中原一些豪傑奇偉之士，不願意事奉異族，招致禍患，又沒有力量起兵反抗，只好避走山林，修身養性。其中有一個名叫王重陽的，生得方頭大耳，留著一把長鬍子，雄辯滔滔，家業豐厚，經常周濟窮人，他創建了全眞教。

全眞教的基本教義是老子（道教）、釋迦牟尼（釋教）、與孔子（儒教）三教合一，他既不教人祈禱念經，也不提倡煉丹畫符，主要是成立一個教派，交納一群信徒，誦讀道德經、心經、孝經，保存中原文化。

重陽眞人對弟子的要求極爲嚴格，他一共有七大弟子，其中邱處機最爲優秀，成爲全眞教的第二代大師，重陽眞人過世以後，邱處機隱居磻溪龍門十三年，努力苦修。

譬如，邱處機爲了磨練意志力，戰勝睡魔，去除雜念，前前後後，一共有七年，規定自己『脅不佔席』，脅是胸腔兩旁有肋骨的地方，也就是不上床睡覺，同時身上的打扮，永遠是一簑一笠，這一簑一笠，不但寒暑不變，而且數年之中，不肯換新的，可以想見破破爛爛的模樣。

由於龍門距離市區極遠，邱處機放棄托缽乞食，在岩洞裡，自己煮一些簡單的飲食，每天只吃一餐，多半喝些泉水，自強自律，嚴格苦修，一般人不能忍受的辛苦，邱處機及門人都能忍受，完完全全是個苦行僧作風。久而久之，華北地區人民都認識了這些全眞教徒，謙遜似儒家，堅苦如墨家，修習又似學禪，十分的有好感。

當劉仲祿帶了成吉思汗的詔書，請求邱處機出山時，邱處機已有七三高齡，他神采秀逸，氣質不凡，所以被謠傳爲三百歲，邱處機見到劉仲祿冒險遠來，言詞懇切，就挑選了十九名弟子，乘舟到了燕京。

到了燕京之後，許多讀書人都爭著與他往來周旋，邱處機也很高興。可是，這時候，成吉思汗帶著大軍西征去了，邱處機認爲自己年歲已高，倦冒風沙，不想西行。不料，成吉思汗又下了詔書，懇切的邀請西遊，這封詔書是出自耶律楚材的手裡，用字典雅，邱處機看著十分歡喜，遂決定折著老命去『傳福音』，臨行之前，寫了兩首詩，留給燕京的道友們，表示『此行眞不易，此別話應長』，道出了老年遠行沉重的心情。

這一趟西行，還眞是不好走，邱處機出長城，經過張北、多倫，至阿爾泰山，折入新疆，再往中亞細亞，到達撒馬爾干，一共走了九個月又十六天，實在好辛苦，若不是邱處機平日養成『自虐』的習慣，絕對是禁不起此番折騰。

邱處機到達撒馬爾干時，耶律楚材也住在城中，而且已經住了一年多，兩位賢者異地相逢，聯句和詩，焚香煮茶，夜話寒齋，十分的愉快。

成吉思汗聽說邱處機來了，非常歡喜，派遣專差傳達聖旨：『眞人遠道而來，路上辛苦了，今朕已回，休息之後，即可來見。』同時獎勵劉仲禄：『你這件差事辦得極好，我要另外給你一件輕鬆的好差事，予以調劑。』

於是，邱處機便向行宮出發，準備謁見成吉思汗，成吉思汗盼了半天，終於等到了三百歲高齡的神仙，心裡有莫名的興奮。

閱讀心得

【第567篇】邱神仙雪山講道。

長春眞人邱處機，千里迢迢到了撒馬爾干，終於得以謁見成吉思汗。成吉思汗一見邱處機，神采秀逸，白白淨淨，沒有留鬍子，漂亮極了，尤其那出塵的氣質，剛好是他心目中神仙的模樣，大爲開懷，立刻透過翻譯表示歡迎：『他國徵聘，你都不應，今日遠踰萬里而來，朕實在高興。』

邱處機微微一笑道：『山野之人，奉詔而赴是天意也。』這個天字是成吉思汗最喜愛聽的，他又極有興趣的問道：『眞人遠來，有什麼長生之藥可以幫助朕的？』

『山野之人有衛生之道，而無長生之藥。』

這句話答得不卑不亢，又十分誠懇篤實，成吉思汗對邱處機印象好極了，認爲他果然是眞神仙，不同於一般跑江湖的油腔滑調。

成吉思汗沉吟一會兒，忽然間想起：『從前人家對您怎麼稱呼？』

邱處機雙眉微微一揚接道：『山野處世，人呼先生耳。』

成吉思汗胸有成竹，愉快的說：『從今以後，不如稱神仙。』並且下令：『神仙入內，不需跪拜，只要折身叉手便可。』然後賜給葡萄酒、西瓜、蔬菜等，結束了第一次會談，開始積極準備神仙講道，地點在雪山行宮。

從當時的紀錄看來，成吉思汗確實把講道當成大事一件，他特別在行宮裡設置了一個燈燭輝煌、莊嚴肅穆的禮堂，自己還齋戒沐浴，除翻譯外，只有護送長春眞人的侍衛官，御醫劉仲祿，其他一切侍衛、侍女都列在帳外，沒有資格聽神仙開講。

這一切的講道，成吉思汗極爲滿意，其後，又舉行了第二次講道，成吉思汗聽得很仔細、很用心，命令左右把內容翔實記錄，旁邊還寫上漢字，他更神秘兮兮的說：『神仙說的養生之道，深獲我心，你們不許隨便洩漏。』那麼，邱神仙到底說了什麼天機？不過是勸成吉思汗『敬天愛民』『不嗜殺人』『清心寡欲』的平常之語。

然而，或許是遠來的和尚會念經，加上成吉思汗本來敬天，又對這慈眉善目的神仙有好感，每次聽道以後，就快樂的說：『天賜仙翁，天賜仙翁。』開口閉口都尊爲神仙不說，還寫在虎符璽書之上，從此，邱處機就以隨軍高級顧問的資格，跟在成吉思汗身旁，隨時傳教。

邱神仙眼見成吉思汗『孺子可教也』，時時不忘給予『機會教育』。有一日，忽然之間打雷，雷聲隆隆，聽著好怕人，蒙古人一向認爲，打雷是天發怒了，既然神仙在此，成吉思汗少不得要去討教一番。

邱神仙抬頭望天，思索了一陣，答道：『雷是天威，凡人子之罪，莫大於不孝，不孝則不順乎天，所以天威震動用心警戒。我聽說蒙古境內不孝的人很多，陛下應該明瞭天威，教化人民。』

成吉思汗覺得神仙所講的是金玉良言，開始倡孝道，召集太子諸王大臣，親加訓諭，並且說：『這是上天派神仙對朕說的，我們應當銘刻在心。』邱神仙又常常勸成吉思汗減少打獵，『盡量不殺生』，成吉思汗平生最愛打獵，也漸漸聽了神仙的話。

尤其是有一次，成吉思汗在山東打獵，馬前失蹄，奇怪的是他面前一大群野豬竟然沒有進犯他。

回到行宮，邱神仙趕緊入諫：『天道好生，尤其陛下春秋已高，宜少出外打獵，墜馬是上天警戒陛下，野豬不向前，是上天保護陛下。』

成吉思汗雖然是勇敢的英雄，他也了解野豬的兇猛，這次死裡逃生，心有餘悸，他慚愧的說：『我已省悟，神仙說得有理，我是蒙古人，從小騎馬打獵，一下子改不過來，但是，神仙的話，我以後都依。』經過這次事件，成吉思汗足足憋了兩三個月，沒有出外打獵。

春去秋來，已經整整三年，邱處機一再請辭，成吉思汗總是捨不得，最後邱神仙再三表示：『山野之人，非歸山不可。』成吉思汗才答應讓他走。

臨行之前，成吉思汗頒贈大批牛馬，邱神仙一概謝絕，瀟瀟灑灑道：『只要一匹馬就夠了。』

成吉思汗問道：『神仙在漢地，共有多少弟子？』

邱神仙淡淡一笑：『很多。』

『那麼，以後你的門人，不需賦稅，不用服役。』成吉思汗又怕口說無憑，特頒給『蠲免全眞教教主徒差發』的聖旨一通。

當邱處機回到燕京，正當華北一地，兵連禍結，人民飽受塗炭之苦，現在邱處機手中有這道特權，全眞教如日中天，漢地士大夫奉教者得到庇護，華北四百州士庶百姓得到救濟，一共拯救了百萬人之多，只要平民願意信奉全眞教，或是全眞教徒願意收留他們，都可以受到保護，邱處機不但拯救當時困擾的社會、徬徨的人心，並且打開蒙古與漢地人民合作的大門，救濟了當時的知識份子，眞是一個活神仙。

成吉思汗一直念念不忘邱神仙，他曾經一次特旨、五次派人慰問邱神仙，每次都熱情洋溢的問：『朕常念神仙，神仙毋忘朕。』成吉思汗如此支持，無怪邱處機蓋的白雲觀媲美宮殿，他倆的這段情誼也成爲歷史上的佳話。

閱讀心得

【第568篇】

成吉思汗滅西夏。

成吉思汗在西征之初，曾經要西夏人發兵助陣，但是被西夏拒絕，成吉思汗要求西夏納送『質子』，西夏也始終沒有履行，成吉思汗爲此耿耿於懷，決定在西征告一段落以後，好好教訓一下西夏。

所謂質子戰略，是成吉思汗設計出來的一套厲害策略，在蒙古軍隊之中有『質子軍』，凡是附降的部族君長，一定要派遣子弟加入，跟隨在大汗軍隊效力，作爲人質，以免其父兄叛變。

西夏非但沒有加入質子軍，西夏的使者阿沙敢不竟然反脣相稽：『成吉思汗既然力氣不足，就不必非要做皇帝。』這句話讓成吉思汗氣得跳腳，所以他老早立下誓言：『阿沙敢不竟然敢這般說話，若是皇天保佑，待我自回回那兒歸來，一定要去討伐他。』

當成吉思汗自西域東歸，聽說西夏與金人勾結，目的在對抗蒙古，立刻帶著老三窩闊臺、老四拖雷大舉發兵，親征西夏，非要一舉殲滅西夏不可。

不料，行至途中，在阿爾不合地方行圍射獵時，他所騎的紅沙馬，被野馬驚嚇，成吉思汗墜馬受傷，因爲摔得不輕，肌膚非常疼痛，且有嚴重內傷，當晚就在阿爾不合住下來了。

隨同成吉思汗出征的也遂夫人很緊張，她著急的說：『皇子們，大臣們，你們趕快商議商議吧，可汗夜間身體發燒，睡著了。』

皇子們與大臣商量的結果是：『西夏人有建築好的城池，不能移動的定居處所，他們又不會把築好的城池搬走，我們不如暫時撤退，等到可汗痊癒，再征伐也不遲啊。』於是，皇子們把意見呈獻給成吉思汗。

成吉思汗是個不服輸的硬漢，他說：『那麼，西夏人必然以爲我們膽怯了，這可不成，我先在這兒養病，你們差人去問問西夏，願不願意投降。』

阿沙敢不的回答是：『你們蒙古人慣於廝殺，若想廝殺，我在賀蘭山，你們可以到賀蘭山廝殺，你們想要金銀、緞匹、財物，你們儘可到寧夏西涼來取。』

成吉思汗在病榻上，聽使者傳回阿沙敢不挑釁的話，差點兒沒氣昏，他雖然身體正在發燒，渾身熱騰騰的，仍然不顧一切衝下床：『好，人家既然說出這樣的大話，我們怎可撤退，就是要死，我也要去對證這句大話！』

這個西夏小國，眞是不自量力，哪裡承受得起蒙古大軍？當蒙古軍隊攻入西夏國境，國君夏獻宗就驚悸而死，阿沙敢不當然是別想活了，阿沙敢不的手下，也一塊兒被擄掠盡絕。後來，西夏繼位的夏末帝，遣使上表投降，獻上黃金佛、童男女，駝馬金銀器，並且約期入朝，成吉思汗這才答應罷兵。

成吉思汗的氣是出了，但是他扶病作戰的結果，卻使得病情一天比一天加重，他自知不起，把窩闊臺與拖雷兩個兒子叫到跟前，對他們說：『我的壽命即將終結，賴上天之助，我爲你們建立如此大的帝國，從帝國的中心到邊陲之地，約要走一年的行程，你們要保有如此龐大的帝國，必須同心禦敵，團結對外。我死了以後，你們應當奉窩闊臺爲主，察合臺現在雖然不在身旁，應當不會違抗我的遺命。』在他臨終之前，還有兩項重要的遺囑，第一：諸將嚴格守密，必定要徹底消滅西夏以後再行發喪。第二、金朝未滅，深以爲憾，可以假道於宋，繞過潼關以後，再南北會師，以取大梁。

成吉思汗逝世以後第三天，成吉思汗的臣子便遵從遺囑，殺死了夏末帝，西夏自趙元昊稱帝，歷一百九十年而亡。西夏滅亡以後，蒙古皇子大臣爲成吉思汗發喪成禮，共奉靈柩，回到漠北故鄉，埋葬在一棵大樹下面，並且遍植樹木，讓人找不到陵地，這原是蒙古人的習俗。一直到至元三年，蒙古人才改採中國習制，追謚成吉思汗為聖武皇帝，廟號太祖。

這位號稱成吉思汗的鐵木眞，是中國歷史上，也是世界歷史上的奇特人物。他從三十五歲那年，做了蒙古本部的可汗，一直到他七十三歲去世，縱橫天下，所向無敵，蒙古鐵騎，蹂躪了半個亞洲，屠絕了許多民族，毀滅了許多有百萬人口的都市，所到之處，殺人如麻，屍積如山，最後他統治了難以數計的大小種族，享有無比的權威，娶了五百多個妻子，有人統計，到了成吉思汗第四代，他有一萬多個後裔。

歷史上有人對他歌頌崇揚如天神，有人詛咒毒罵他為魔王。但是，不可否認的，他是一個有決心、有果斷、有魄力的人，他恩怨分明，賞罰公正，言出必行，有超人的見解與遠識，也有知人之明，容人之量，才能創建偉大的蒙古帝國。

成吉思汗去世之後，根據蒙古舊俗，暫由拖雷監國，因爲拖雷是老么，少子例守父業是蒙古傳統，拖雷一方面權攝國事，一方面遣使召集宗親各部諸王、駙馬、大將，發送開會通知，準備明年夏天召開大會，推戴新君。

閱讀心得

國家圖書館出版品預行編目資料

全新吳姐姐講歷史故事. 25. 南宋/吳涵碧 著.
--初版.--臺北市；皇冠，1995〔民84〕
面；公分（皇冠叢書；第2491種）
ISBN 978-957-33-1235-2（平裝）
1. 中國歷史

610.9 84007239

皇冠叢書第2491種
第二十五集【南宋】
全新吳姐姐講歷史故事〔注音本〕

作　者—吳涵碧
繪　圖—劉建志
發 行 人—平雲
出版發行—皇冠文化出版有限公司
台北市敦化北路120巷50號
電話◎02-27168888
郵撥帳號◎15261516號
皇冠出版社(香港)有限公司
香港銅鑼灣道180號百樂商業中心
19字樓1903室
電話◎2529-1778　傳真◎2527-0904
印　務—林佳燕
校　對—皇冠校對組
著作完成日期—1992年01月01日
香港發行日期—1995年09月25日
初版一刷日期—1995年10月01日
初版二十九刷日期—2021年05月
法律顧問—王惠光律師

讀者服務傳真專線◎02-27150507
電腦編號◎350025
ISBN◎978-957-33-1235-2
Printed in Taiwan
本書定價◎新台幣150元/港幣45元